ŒUVRES D'HERVÉ BAZIN

HERVÉ BAZIN

Le bureau
des mariages

GRASSET

A Jean Blunzat

LE BUREAU DES MARIAGES

La porte de l'agence était ouverte, mais Louise hésitait, n'osait entrer. Ce bureau lui faisait l'effet d'un cabinet dentaire : Louise avait toujours eu honte de montrer ses caries, comme si elle en était responsable par économie de dentifrice. Trois clientes s'attardaient dans cette succursale du Public-Office-Parisien : une bonniche empêtrée dans son orthographe, une grande bringue qui feuilletait le catalogue des numéros, une dame opulente qui s'intéressait à quelque reprise d'appartement. A l'extérieur, devant les cartolines matrimoniales exposées en vitrine, se campait un jeune homme que Louise estima trop bien mis, trop bien fait pour en avoir réellement besoin. Il notait consciencieusement les annonces en commençant par les plus récentes et, à tout hasard, offrit à Louise son plus engageant sourire. Elle détourna la tête aussitôt et considéra les propositions d'achat ou de vente : « Fusil de chasse, calibre 16, modèle récent », ou « Piano à queue, raquette et costume d'enfant », ou encore « Vase chinois, bonne occasion à profiter ». Cette dernière fiche l'amusa : sa famille possédait aussi de sacro-saints, d'affreux vases chinois. Cependant l'effronté se rapprochait de Louise sous le prétexte d'éplucher toutes les étiquettes et son coude rencontra bientôt celui de la jeune fille. A peine flattée, bien que la chose lui arrivât rarement, Louise allait sans doute s'éclipser quand, de l'intérieur, le directeur ou le gérant ou l'employé principal, bref, un homme qui paraissait tenir un rôle correspondant à l'importance de son ventre, l'arrêta du regard et de la voix :

« Entrez donc, mademoiselle, je suis à vos ordres dans un instant. »

Affolée mais polie, Louise se glissa derrière la grosse dame et cet écran lui permit de trouver une contenance. Ses yeux, furetant dans tous les coins, lui apprirent que le bonhomme n'était qu'un sous-ordre car il portait une chemise de toile d'avion très abîmée par l'eau de Javel. Mais le bureau se vidait.

« A nous deux, mademoiselle. C'est pour une annonce matrimoniale ? »

Louise frémit. Ce préambule lui colora la pommette droite. Avait-elle donc le type classique de l'esseulée ?

« Oui, monsieur, mais c'est très sérieux. »

Vexée, elle avait enrichi le « très » d'une intonation grave. Les moustaches du bonhomme s'écartèrent et Louise sut ainsi qu'il souriait.

« Ne soyez pas gênée, dit-il. Ici rien d'équivoque. Nous avons quelques clientes qui ont pratiqué la politique du héron, mais nous comptons surtout de braves filles qui manquent d'occasions honnêtes. »

Il toussa, pour assurer une transition décente entre la publicité et le tarif :

« Votre annonce paraîtra sous le numéro... le numéro 4 326. L'affichage dure trente jours et coûte deux cents francs. Un supplément de cent cinquante francs est demandé aux personnes qui désirent domicilier leur courrier à l'agence pour une durée de trois mois. Avez-vous une carte d'identité ?... Bon... Désirez-vous prendre un pseudonyme ?... On choisit généralement un prénom... « Martine », ça vous va ?...

Maintenant remplissez votre fiche. Je vous serais obligé de faire vite ; je vais fermer. »

A la devanture, Louise avait repéré quelques modèles. Aucun ne lui donnait satisfaction. Comment se décrire en si peu de mots et surtout comment définir le type d'homme rêvé ou seulement souhaitable ou même passable ? Non, Louise n'avait pas pratiqué la politique du héron, mais la vie ne lui avait offert que des limaces. Elle avait bien le droit de les refuser. Ce chef de bureau quinquagénaire, ce voisin de palier chauve et boiteux, ce cousin de province aux yeux vairons, elle les écarterait encore. Elle n'avait pas d'ambition... Plus exactement elle avait de petites ambitions, très simples, très raisonnables, surtout négatives : pas de ventre, pas de tare, pas d'idées subversives, pas de casier judiciaire, pas de... Bref, beaucoup de « pas ».

« Allons, dépêchez-vous ! »

Louise cessa de sucer son stylo, écrivit ces mots pénibles :

« Jeune fille... »

Elle y avait strictement droit, ainsi qu'au titre de *Mademoiselle* auquel les commerçants substituaient généralement celui de *Madame*, dont Louise se fût très bien accommodée s'il avait été mérité, mais qui prenait dans leur bouche une valeur agaçante. Demoiselle, qu'on prend pour dame : variété desséchée de jeune fille.

« Jeune fille... trentaine (la trentaine dure jusqu'à trente-neuf ans pour une femme et Louise Dumond n'en avait que trente-huit)... *catholique, employée dans administration, épouserait...* Non, c'était trop direct. Il fallait dire : *désire connaître en vue mariage... monsieur...* (Sens restreint : ce « Monsieur » s'oppose au petit *J. H.* réclamé par les moins de trente ans)... *âge et situation en rapport. Pas sérieux s'abstenir. »*

Ouf ! Corvée terminée. Louise tendit sa fiche, paya,

enfonça le reçu au plus profond de son sac et rentra
en courant rue de l'Estrapade, où elle habitait avec
son frère depuis plus de vingt ans. Robert, qui
arrivait d'ordinaire dix minutes après elle et
dont l'estomac était plus précis que celui d'un nour-
risson, bâillait déjà, recroquevillé dans son indignation.

« Voyons, Louise, ronchonna-t-il, à quelle heure
vas-tu nous faire dîner ce soir ? »

*
* *

Louise vivait seule avec Robert depuis la mort de
leurs parents, c'est-à-dire depuis la mort de sa mère à
elle et de son père à lui qu'avait réunis un mariage
tardif entre veufs. Robert venait d'avoir trente-neuf
ans et ne tolérait en aucune façon de s'entendre dire
qu'il était entré dans la quarantaine. Il était beaucoup plus chatouilleux que Louise sur ce chapitre et
s'était rasé la moustache dès que le poivre avait
pactisé avec le sel de chaque côté de son nez, long et
renflé comme un huilier. Coquetterie gratuite et
même démentie par son affection pour les cols
amidonnés, les attitudes rigides et surtout par cette
peur de ne jamais paraître assez sérieux, assez grave,
par cette peur qui lui interdisait de lire *Clochemerle*
et lui ordonnait de s'ennuyer une fois par semaine à
l'Amicale des Clercs de France. Trop solennel pour
être grincheux, Robert était le type même de ces gens
qui savent garder leurs distances en les allongeant de
telle sorte que leurs intimes éprouvent auprès d'eux la
sensation d'être des absents ou des indigènes d'une
autre planète, favorisés d'un lointain coup de téles-
cope. Pas méchant pour un sou, bien sûr, et plus
discret que ses talons de caoutchouc ; plus honnête
qu'une chaisière, plus régulier que la trotteuse de son
oignon ; bref, nanti des qualités complémentaires de
ses défauts. Louise avait toujours eu pour ce garçon

l'estime raisonnable que l'on doit avoir pour le curé
de sa paroisse, pour les grands principes, pour les
meilleures marques de savon. Elle l'aimait *bien*.
Depuis vingt ans, du reste, Robert lui restituait ce
« bien ».

« Pourquoi diable arrives-tu si tard ? »

La voix de son frère, toujours fêlée par un commencement ou une fin de bronchite, n'avait pas
appuyé sur « pourquoi » mais sur « tard ». Le souci de
marquer le coup l'emportait sur la curiosité. La
question gêna Louise : ils n'avaient point tous deux
l'habitude de se rendre des comptes et elle refusait
d'avouer une démarche aussi ridicule que son inscrip-
tion sur les listes d'une agence matrimoniale.
Cependant, Robert avait toujours exigé sa ration de
sucre dans le café et de politesse dans la conver-
sation.

« Je me suis attardée dans un magasin », répondit-
elle.

Elle ne put s'empêcher de sourire en songeant que
ce magasin était en somme une boutique d'antiquaire
et qu'elle faisait désormais partie de ses occasions. La
glace de la cheminée lui sembla mieux renseignée que
d'habitude et, tandis qu'elle mettait la table, elle
s'observa sans pitié. Ses cheveux donnaient l'impres-
sion d'être collés comme la filasse qui sert de perruque aux crânes des poupées. Si encore celles-ci lui
avaient prêté leur insolente carnation de celluloïd ! Sa
peau ne semblait pas poudrée, mais poussiéreuse. Ses
yeux, couleur de noisette grillée, ses yeux seuls
demeuraient dignes d'elle... Voire ! Ils perdaient leurs
cils. Furieuse, Louise se tourna le dos, s'énerva, cassa
une assiette.

« Du calme, ma chère ! » fit Robert, décidément
odieux.

*
* *

Le calme revint. Dix jours plus tard, Mlle Dumond

n'avait pas remis les pieds au P.O.P. Quand elle consentit enfin à y retourner pour prendre son courrier, l'employé ne la reconnut pas. Il exigea son reçu et le contrôla longuement avant de lui tendre quatre lettres.

Louise ouvrit la première dans le bureau même et, dès les premières lignes, fut épouvantée :

Ma poule,

Ainsi, tu ne peux plus te passer d'un petit homme. Ne fais donc pas tant de manières et poste-toi le mardi 15, à 20 heures, sur la plaque de fonte qui recouvre la bouche d'égout en face du Bar bleu, boulevard Saint-Michel. Inutile d'amener une chemise de nuit. On ira se...

Suivaient trente lignes de ce que Louise appelait « l'horrible détail ». Elle lut quand même la lettre jusqu'au bout avant de la réduire en confetti, mais il s'en fallut de peu que les autres ne subissent le même sort avant d'avoir été décachetées. Elle surmonta sa répugnance et ouvrit la seconde épître, puis la troisième : elles étaient simplettes et décidées à tout respecter, sauf l'orthographe. Découragée, mais consciencieuse, Louise glissa enfin son cure-dent dans le coin de la quatrième enveloppe : deux feuillets dactylographiés s'en échappèrent, deux feuillets qui sentaient le tabac et dont le second ne lui livra qu'un prénom : Edmond, également tapé à la machine et suivi de la mention : « abonné P.O.P., rue Pasquier. »

Louise tiqua. Cet anonymat manquait de courage. Mais n'était-elle pas elle-même « Martine, abonnée P.O.P., rue de Médicis ? » Son correspondant s'expliquait d'ailleurs décemment :

Mademoiselle,

Depuis des mois, je consulte la vitrine du P.O.P. Au début, je feignais de m'intéresser aux rubriques locatives. Peu à peu, j'en suis venu à examiner franchement les deux ou trois douzaines de cartolines épinglées sous le panneau des mariages. Enfin, aujourd'hui, j'ai relevé trois numéros et loué une case pour la domiciliation des réponses.

Cette lettre, cependant, n'a pas été tirée à triple exemplaire. Je croirais manquer de pudeur en vous expédiant une sorte de circulaire. Je tiens aussi à vous dire, sans plus attendre, que je n'emploie pas ici mon véritable prénom. Malgré l'usage, je n'ai pas cru malséant de dactylographier la présente. Sans doute mon écriture vous eût-elle révélé quelques traits de mon caractère, mais je me méfie de telles interprétations. Pour ne pas être moi-même tenté d'interroger les barres de vos T et les boucles de vos S, je vous demande d'adopter la même réserve. Ainsi pendant quelque temps jouirons-nous d'une aisance absolue : d'inconnu à inconnue, tout peut s'avouer et le ridicule même n'effarouche plus sa victime quand elle bénéficie de l'impersonnalité.

Je n'ai pas l'intention d'y tomber. Nous sommes ici entre gens sérieux et j'imagine bien, d'après mes propres sentiments, quels peuvent être les vôtres. Ayons le courage de le dire : je suis un vieux garçon et vous êtes une vieille fille. Le côté plaisant de notre état en masque impitoyablement le côté grave et la prétention de nous en remettre au hasard des agences nous expose moins au fou rire d'autrui qu'à notre propre méfiance.

A ces précautions oratoires faut-il ajouter de rassurants détails, tels que poids, taille, tour de poitrine, couleur des cheveux et des prunelles ?... Je vous épargne et vous m'épargnerez ces mensurations

*et ces descriptions classiques, utiles sans doute pour
la vente des chevaux. Il suffit, je pense,
d'affirmer ici que je ne souffre d'aucune tare
physique.*

*D'aucune tare sentimentale, non plus : je n'ai
personne à oublier. On ne devient pas célibataire, on
le demeure. Ce verbe a parfois une telle puissance
qu'il est inutile de chercher une autre explication...*

Certes, si ! Louise se connaissait assez pour trouver
une autre explication. Elle lut rapidement la fin de la
lettre et l'absence de détails précis ne l'empêcha point
de se faire une opinion : cette vie effacée, cet
égoïsme mineur, ce petit courage qui se cachait sous
le nom de résignation, cet excès de prudence et de
discrétion, bref, cette vocation de la grisaille lui était
familière. Fallait-il l'avouer ? Elle n'avait aucune
sympathie immédiate pour cet inconnu trop sembla-
ble à elle-même. Qui se ressemble ne s'assemble pas
toujours. Cependant elle éprouvait de la curiosité. La
vie peut ne pas nous satisfaire et pourtant nous
suffire. Pourquoi celle de l'inconnu ne lui suffisait-
elle plus ? Question mal posée : pourquoi la vie de
Louise ne lui suffisait-elle plus ? Elle relut la lettre
entière, nota que les M étaient décalés. «Machine à
réviser», fit-elle mentalement. Puis elle rentra chez
elle et, son dîner expédié, se mit à griffonner un
brouillon de quatre pages.

«Que fais-tu ? » murmura son frère, qui enchaîna
brusquement et lui servit cet étrange coq-à-l'âne :

«Louise, tu devrais te décider à passer chez le
coiffeur. Tu as grand besoin d'une mise en plis.

— On verra ! » répondit-elle sèchement, décidée à
manquer de courtoisie puisque Robert semblait manquer de discrétion. Elle ajouta immédiatement : «Et
toi... quand te décideras-tu à liquider ces horribles
vases chinois ?

— J'y pense, aimable sœur ! » conclut Robert, qui passa dans sa chambre sans grogner le bonsoir traditionnel. Louise soupira et son correspondant bénéficia aussitôt d'une petite chaleur : cet autre employé de bureau, ce second Robert montrait au moins du tact et de la délicatesse. La jeune fille remania sa réponse, biffa quelques phrases, en ajouta d'autres, moins neutres et surtout moins fades. Enfin sa lettre, très reléchée, lui donna satisfaction :

Monsieur,

Ne vous expliquez pas. Vous finiriez par dire, comme l'actrice : « Peut-on reprocher au diamant d'être solitaire ? » Ni le vôtre ni le mien ne pèsent leur carat. Nous avons sans doute manqué d'amour, mais surtout d'aptitude à l'amour. Aujourd'hui l'important n'est pas de savoir pourquoi nous sommes devenus ou demeurés célibataires, mais pourquoi nous ne voulons plus l'être. A défaut de spontanéité, j'aime la rigueur des vocations tardives...

Sur ce ton, Louise aligna deux pages, qu'elle recopia, le lendemain matin, sur la Remington de son bureau pour se conformer au désir de son correspondant.

Sa lettre expédiée, elle n'attendit plus une semaine, mais seulement quatre jours pour se présenter au P.O.P. La politesse, n'est-ce pas, exige que l'on ne fasse point attendre les gens. Elle ne trouva d'ailleurs aucun pli d'Edmond. L'employé lui remit deux lettres en retard qui provenaient, l'une d'un veuf et l'autre d'un divorcé. Mlle Dumond les déchira avec impatience : elle n'était pas de celles qui peuvent amorcer plusieurs aventures à la fois. Le surlendemain, tou-

jours rien. Louise dut repasser cinq fois et cinq fois
essuyer le sourire ironique du chauve, avant de
trouver dans sa case une enveloppe commerciale qui
lui permit de sourire à son tour : le M de Mademoiselle était décalé. Elle lut, très vite :

*... Excusez mon retard volontaire. J'ai voulu choisir
entre mes trois correspondantes. Vous seule, désormais...*

Louise sourit de plus belle et le chauve dit très
haut, pour l'édification de nouvelles venues :
« Vous voyez, nos clients trouvent toujours chaus-
sure à leur pied. »
Mais déjà, de paragraphe en paragraphe, Louise
arrivait à celui-ci :

*... On parle du démon de midi : pourquoi ne pas
croire à l'ange de midi ? Nous pouvons être de ceux
pour qui la vie commence à quarante ans. Nous...*

Nous ! Nouveau pronom ! Louise regagna en courant la rue de l'Estrapade mais, en passant devant le
coiffeur de son quartier, sans savoir pourquoi, elle
prit un rendez-vous pour le lendemain.

*
* *

Six mois. Cette correspondance, peu à peu devenue
bihebdomadaire mais restée anonyme, dura six mois.
Cinquante lettres s'accumulèrent dans le tiroir de la
table de nuit de Louise, cinquante lettres qui
n'étaient pas des lettres d'amour, mais qu'elle en vint
très rapidement à considérer comme telles. Louise
n'était pourtant pas satisfaite de leur contenu. Sans
jamais préciser ce qu'il appelait « l'accessoire médio-
cre de sa vie », Edmond y faisait de constantes
allusions. Jamais une plainte, mais le ton de la
ferveur déçue et l'obsession du passé inutile. Il sem-

blait n'envisager l'avenir que comme un moyen de combler ce passé, tant il est vrai qu'une vie sans avenir est souvent une vie sans souvenir.

Une intimité sans détails, une complicité lointaine s'établissait entre eux. Un beau jour, l'M décalé de Mademoiselle fut remplacé par celui de Martine, tout court. Ils étaient sur le bord de la familiarité et ne se connaissaient toujours pas. « *Il est probable*, avouait Edmond, *que je vous décevrai le jour où je vous rencontrerai pour la première fois. Je ne vous cache rien mais, pour abolir un être, il suffit parfois de ne plus l'imaginer.* » C'était aussi ce que craignait Louise, mais cette peur la transformait : « Louise » faisait des concessions à « Martine ». Certes, elle n'abandonnait ni ses goûts ni ses habitudes. Mais sans changer de nature on peut changer d'humeur : il y a cent façons d'habiter en soi-même. L'indulgence et la sympathie, qui n'étaient pas ses vertus cardinales, lui devenaient accessibles. Elle faisait aussi quelques frais de toilette. De la négligence à la mode, la distance était pour elle encore trop longue, mais il s'agissait de s'habiller sans avoir l'air endimanché. Pendant quelque temps, Louise fut en butte aux coups d'œil goguenards de Robert. Puis à l'ironie succéda l'étonnement et enfin une sorte d'intérêt ou d'inquiétude. Devinait-il ? Craignait-il de rester seul ? Toujours est-il qu'après avoir raillé sa sœur, il se mit au pas, daigna surveiller sa propre tenue. Louise lui sut gré de l'intention, s'aperçut que sa prévenance le touchait, qu'il essayait d'y répondre. Elle se reprochait d'avoir été trop sèche avec lui : « Au fond, pensait-elle, ce n'est pas un mauvais bougre. Dommage qu'il n'ait pas cette richesse intime qu'on trouve chez Edmond. »

Six mois ! Louise avait deux fois renouvelé son abonnement au P.O.P., quand lui parvint la cinquante-sixième et dernière lettre de son correspondant. Elle était courte :

Je pense, Martine, qu'il est temps de ne plus jouer à cache-cache. Nous avons été très sérieux, très patients. Je vous connais assez bien maintenant pour affronter la déception dont je vous ai parlé. Je vous attendrai samedi à midi devant votre agence, rue de Médicis. Signe de ralliement : nous déploierons chacun le dernier numéro de L'Intransigeant. *Je vous dirai mon nom, mon adresse en échange des vôtres. Ah! Martine, je suis sûr d'éprouver quelque difficulté à vous appeler autrement. A bientôt.* — EDMOND.

Ce soir-là, Louise rentra tout agitée : l'inquiétude dévorait son impatience. Robert se montra charmant, voire expansif. « Est-il si facile de lire sur mon visage, pensait-elle, qu'il s'efforce d'égayer une anxiété dont il ne connaît pas la cause ? Je devrais peut-être le mettre au courant. » Elle n'eut pas le courage de doucher cette gentillesse toute neuve et passa trois jours dans une attente solennelle, un peu puérile, comparable à la lointaine retraite de première communion.

Enfin le samedi arriva. Louise, qui ne travaillait pas ce jour-là, put employer la matinée à une minutieuse toilette. Elle était prête à onze heures, mais, à onze heures et quart, elle décida brusquement de mettre une robe moins habillée, par discrétion, et de se démaquiller, par honnêteté. Partie en retard, elle fit cependant un détour par le jardin du Luxembourg, à travers les grilles duquel on peut observer ce qui se passe en face, rue de Médicis.

Elle s'approcha discrètement. Un homme de taille moyenne était planté devant le P.O.P. : Edmond, à n'en pas douter, car il tenait un journal ouvert. Il lui tournait le dos. Louise ne pouvait voir de lui que son chapeau gris et son manteau bleu marine. Un détail lui sauta aux yeux : ce manteau venait d'être acheté, probablement en son honneur, et le célibataire

ingénu avait oublié d'enlever l'étiquette. Intimidé ou
soucieux de ne pas être reconnu, il considérait la
vitrine avec persévérance. Louise attendit encore
quelques minutes mais, comme Edmond ne bougeait
pas, elle déplia son *Intransigeant,* quitta le jardin et
franchit la chaussée. Au bruit de ses talons, l'homme
pivota sur lui-même en portant instinctivement la
main à son chapeau et demeura cloué sur place. *Le
correspondant,* c'était Robert.

« Que fais-tu là ? » balbutia Louise.

Elle était devenue très pâle devant son frère qui,
lui, tournait à l'écarlate. Il se reprit cependant plus
facilement qu'elle.

« Je viens voir, dit-il, si ma nouvelle annonce est en
bonne place. J'en ai déjà fait mettre une, il y a six
mois, afin de vendre ces vases chinois que tu détestes.
Mais elle n'a rien donné. »

Sa lèvre inférieure pendait, piteuse, et ses cils
battaient très vite. Il avait glissé son journal derrière
son dos et le repliait gauchement.

« Non, mon bonhomme, non, pensait-elle aussitôt,
nous ne pouvons pas feindre. Notre vie deviendrait
intolérable. »

« Comment allez-vous, Edmond ? » fit-elle en éclatant de rire.

Alors Robert eut le seul geste qui convenait à
l'aventure : il attira sa sœur contre lui et l'embrassa,
tandis qu'il reprenait d'une voix fêlée :

« Le plus drôle, c'est qu'en effet nous pourrions
nous marier : nous n'y avions jamais pensé ! »

*
* *

Bien entendu, Louise n'a pas épousé Robert. Elle le
pourrait : il n'est que le fils de son beau-père. Ils ne
sont pas vraiment frère et sœur. Mais ils ont vécu
comme tels depuis toujours : leur mariage serait un
véritable inceste moral. Au surplus, ils se sont vus
depuis trop d'années avec les yeux impitoyables de

l'intimité, avec ces yeux qui ont noté par le menu ces navrants petits détails de caractère, de visage et de costume. Ils s'aiment *bien*, peut-être mieux, mais ce ne sera jamais de l'amour. Enfin et surtout, comme l'a remarqué Robert, *ils n'y avaient jamais pensé :* certaines suggestions ne s'acceptent pas du hasard.

Pourtant ils ne regrettent rien. Tous deux savent maintenant ce qu'ils sont, ce qu'ils peuvent l'un pour l'autre. Leur vie n'a pas changé, mais ils ne désirent plus qu'elle change. Ils ne demeurent pas célibataires, cette fois : ils ont choisi de le rester. Certes, Robert sera toujours Robert, bougon, important, ennuyeux. Mais il a perdu — pour elle seule — le goût de la distance et quand, d'aventure, il s'éloigne et la considère comme jadis, à bout de regard, Louise n'a plus qu'à lui toucher le bras en murmurant :

« Edmond ! »

Et l'Ange de midi, qui passe dans leur silence, fait battre vivement leurs paupières fripées.

JEUX DE MAIN

VIC, Torain, Gamichel, *les trois mousquetaires,* et *Lui.* alias *Bicot,* volontaire racolé de force pour faire nombre... ils étaient quatre qui voulaient se battre. Se battre contre n'importe qui : Sioux, gendarmes, out- laws, Fritz ou Coréens. Les Coréens surtout avaient la cote : l'actualité les rendait excitants. Ils étaient aussi bien pratiques, ces belligérants divisés en deux camps par une simple fantaisie de la boussole : on pouvait jouer nord ou jouer sud sans perdre la face, sans palabrer pendant une heure avant de savoir qui assumerait le rôle odieux de l'occupant (*Au cul, pan !* tel était le sens du vocable pour ces moins de treize ans qui n'avaient jamais entendu parler de la course à la Bidassoa). On pouvait aussi prendre de l'avance sur l'histoire, la rectifier ou la reconstruire selon les directives du journal paternel.

Ce jour-là, le bas-bourg, en majorité nordiste, avait déclaré forfait, et le haut-bourg, les fils de nota- bles — le Sud en un mot —, attaquait dans le vide, fonçait sans difficulté sur le sentier de la guerre conduisant à Suwon (prononcez comme *Savon*), aéro- drome à reprendre, représenté par un pré du père Simon et protégé par une maigre ronce métallique promue au rang de barbelés. Si trois plus un font quatre quand le quatrième compte si peu, ils étaient quatre, bien pourvus d'imagination, de radars, de *bombaches* et d'avions à réaction mais ne dédaignant pas pour autant le poignard, l'arc, le boomerang et la périmée baïonnette (que Torain, subissant l'attraction du mot mayonnaise, appelait « la mayonnette »). Ils étaient quatre échappés du jeudi, étrillés par une bise rêche de février, qui traversaient un champ de choux abondamment salé de givre.

« Couchez-vous ! » cria soudain le chef, d'une voix suraiguë.

Le général, les officiers et le soldat s'aplatirent sous le tir de barrage, avalanche de boum et de bang vociférés par le même stratège, qui se releva pour commander :

« Tirez donc, bon Dieu ! Vous ne les voyez pas, là-bas, derrière la vache ? Fous-leur un V-2, Torain !

— Attention à la vache ! » dit le benjamin.

Mais la rampe de lancement, qui ressemblait à un bras, expédia l'engin qui ressemblait à un caillou, et le caillou atteignit la bête en plein flanc. Elle émit un petit meuglement indigné, secoua ses cornes et s'enfuit, la queue haute et barattant son pis.

« Objectif atteint, annonça le général. En avant ! Pendant qu'on y est, on remonte jusqu'au trente-huitième parallèle... Non, pas toi, tu as la jambe cassée ! ajouta-t-il en se tournant vers Bicot, qui fonçait déjà, lèvres bruissantes et doigts agrippés au volant d'un tank lourd.

— Pourquoi moi ? protesta le blessé.

— A cloche-pied, je te dis, ou tu ne joues plus. »

Une contre-attaque interrompit ce débat. Surgissant à l'improviste, le père Simon volait à la rescousse des Coréens du Nord, armé de sa seule moustache et d'une énorme voix :

« Je vas vous apprendre à esquinter mes vaches !

— En retraite ! » braillla Vic, avec dignité.

La colonne blindée se dispersa, détala sur de vulgaires galoches, laissant voir à l'ennemi les crois-

sants de fer de ses talons. Seul, Bicot ne put courir
assez vite et tomba aux mains du vieux, qui le souleva
par les oreilles et ne le lâcha point avant de l'avoir
fessé pour quatre.

*
* *

Vic hulula selon la meilleure recette chouane en
soufflant entre ses pouces, puis à la mode indienne en
se tamponnant la bouche avec la paume. Il ne parvint
pas à réussir le strident coup de sifflet des escarpes
qui savent coincer deux doigts entre les dents et se
gardent bien de les enfoncer jusqu'à la luette comme
s'il s'agissait de se faire vomir... Vic se rabattit alors
sur des brins d'herbe, en fit vibrer quatre ou cinq, se
coupa la lèvre au sixième. Enfin il appela, tout
bonnement, et finit par rallier son monde dans le bois
communal. Le capitaine et le sergent, décidés à
oublier leur débandade, avaient changé de métier.
Rien qu'à voir la façon dont Gamichel se servait de
son bâton, Vic comprit qu'il ne s'agissait plus d'une
arme, mais d'un coupe-coupe. Quant à Torain qui
marchait en écrasant les feuilles, les genoux pliés, les
bras flasques, il était de toute évidence devenu
orang-outang. Vic approuva cette substitution,
bomba le torse, sentit que son propre bâton — son
« angon », arme d'hast et de jet, mais aussi mitrail-
lette, sceptre ou lunette d'approche — se transformait en massue. Il allait révolutionner deux hectares
de jungle et convoquer l'arrière-ban des Zanirelous en
modulant le cri fameux, qui fait frémir les six
premiers rangs de spectateurs à demi-tarif dans toutes les salles obscures de la planète, quand Bicot
rejoignit enfin, glorieux et cramoisi. Il se déhanchait
consciencieusement, boitait jusqu'à terre.

« Imbécile, grogna Vic, tu n'es plus dans le coup.

— Evidemment, ajouta Torain, il fallait que tu te
fasses piquer. On aura des histoires...

— Quelle race ! » insinua Gamichel.

Les oreilles du petit cédèrent un peu de pourpre à ses pommettes et ses sourcils se rapprochèrent un instant. Mais Tarzan entraînait ses hommes-singes à la poursuite de l'immonde trafiquant d'armes qui voulait enlever la fille du lord tombée d'avion à l'âge de cinq ans et recueillie sur le sein de sa mère mourante, dont l'immense fortune...., etc. Lui se retrouva sur le dos de Gamichel, l'immonde trafiquant, qui s'enfonçait dans la forêt équatoriale, tandis que Vic-Tarzan, chevalier vêtu de peau de panthère, lui disputait sa proie.

« Je te violerai, ma pucelle, si ton père n'aboule pas son fric ! » glapissait le bandit, mélangeant les genres, agrémentant la fable décente, pour minimes, de détails plus corsés révélés par la lecture secrète d'un ciné-roman.

« Rends-moi ma fiancée, misérable ! » vociférait Tarzan, torturant ses cordes vocales faussées par la mue.

Il se gardait bien de rattraper trop vite le ravisseur. Lui, secoué comme un sac de noix, fouetté au passage par tous les baliveaux, ne réclamait point les égards dus à son nouveau sexe. Il protestait faiblement contre cette seconde humiliation :

« Je ne veux... pas... faire la fille. »

Un croc-en-jambe termina l'épisode. La pucelle chut au beau milieu d'un roncier, cependant que poursuivi et poursuivants roulaient ensemble, s'entortillaient, mélange confus de cris, de rires, de cheveux, de bourrades et de loques. Vic finit par s'en extraire et sauta sur le môme qui se relevait, criblé d'épines et serrant les dents.

« Ma bien-aimée ! Voyez : elle en pleure de joie ! » assura-t-il en empoignant Bicot et en l'attirant à lui dans le pur style Hollywood.

Le petit, indigné, se débattit, mais ses huit ans ne pouvaient pas grand-chose contre les treize ans de Vic. Il dut subir cet écœurant baiser sur la bouche

qui n'était peut-être pas tout à fait un jeu pour Vic,
encore que sa salive eût goût de chocolat. Malgré les
soubresauts du patient, l'étreinte se prolongea bien
au-delà du temps prescrit par la censure et Gamichel,
qui comptait les secondes à la manière d'un arbitre,
put abaisser vingt-deux fois le bras... Vic alors
repoussa Bicot en éclatant de rire :

« Ce que tu pues de la gueule, ma chérie !

— Et ce que t'es maigre ! » renchérit Gamichel qui,
les poings glissés sous son chandail, ajouta : « Ma
sœur, elle les a gros comme ça, et je te dis qu'ils
ballottent ! »

Vic lui jeta un coup d'œil intéressé ou qui préten-
dait l'être pour honorer les approches de sa puberté.

« Faudra que je m'en occupe, murmura-t-il... Mais
ce n'est pas tout ça ! Il fait frisquet. Moi, je marche. »

À court de rêves, les quatre repartirent sans s'être
fixé d'attributions précises. Ils allaient, au hasard,
détachant au passage et suçant la fausse gomme
arabique, le *« bran d'agace »* exsudé l'été précédent
par l'écorce des merisiers et que l'hiver rendait dur
comme berlingots. D'après eux, il s'agissait de sucre
de canne. Le vent redoublait pourtant, aiguisait ses
couteaux sur la glace des ornières laissées par les
charrois de bois en grume, n'autorisait guère cette
fiction tropicale. Vic, son angon passé en travers de
la ceinture, poussait les doigts jusqu'au fond de ses
poches. Torain, qui n'avait pas de poches, car sa
mère les cousait pour lui éviter le « genre voyou »,
avançait comme un séminariste, les mains glissées
dans ses manches. Gamichel les avait laissées sous
son pull. Bicot, qui traînait dans leur sillage, accep-
tait l'onglée, soufflait de temps en temps sur ses
phalangettes engourdies et le froid condensait son
haleine, la rendait plus bleue, plus dense que la
fumée d'une pipe. Mais tous marchaient sans faire
craquer les brindilles et leurs prunelles humides,
incongelables, défiaient la saison, la fleurissaient

malgré elle, sur quatre tons : nielle, bleu de lessive, rouille et vert bouteille.

« Chouette ! »

Comme les quatre atteignaient un chantier d'abattage, provisoirement désert, l'exclamation rompit le silence. Un sprint enthousiaste les jeta vers un chêne, sans doute condamné, dont une maîtresse branche laissait pendre une de ces grosses cordes qui servent à guider la chute des troncs. Vic, bien entendu, gagna la course, sauta sur cette *liane*, s'éleva d'un mètre à la force des poignets, se recroquevilla et, se laissant aller, traversa une quantité d'air qui lui parut prodigieuse. « A moi, à moi ! » piaillaient Gamichel et Torain, piétinant d'impatience au-dessous de Vic qui bondit encore par-dessus trois rivières et la moitié d'une forêt vierge avant de céder la place à ses acolytes. Ceux-ci épuisèrent à leur tour les ressources du mouvement pendulaire et ne renoncèrent qu'à bout de souffle, soûls de voltige. Alors seulement, Lui osa toucher la corde, s'y suspendit mollement, ne put se hisser et dut se contenter de gigoter à ras de terre, ridicule comme une grenouille au bout d'une ligne.

« Bébé fait de la balançoire ? demanda Torain.

— Andouille, tu pendouilles ! dit Gamichel. Grimpe sur mes épaules. On va t'attacher par la taille et te pousser au cul. »

Lui se laissa faire. Il souriait, à peine méfiant, étonné d'une telle sollicitude. Il continua de sourire aux premières oscillations. Mais il déchanta dès qu'elles s'amplifièrent, devinrent un va-et-vient très sec, un véritable échange de balles entre Vic et Gamichel qui s'éloignaient progressivement l'un de l'autre, se renvoyaient le gosse à la volée, de toutes leurs forces, de plus en plus vite, de plus en plus haut, si vite et si haut qu'ils durent bientôt le relancer du bout des doigts. Pour rien au monde, Bicot n'eût demandé grâce. Il se raidissait, l'estomac en déroute et la peau hérissée par la chair de poule, il regardait

en l'air afin de ne pas se voir redescendre, il tricotait
des jambes dans le vide pour essayer de rompre le
rythme. Enfin une poussée maladroite de Gamichel
l'expédia de biais sur le tronc. Le front porta. Lui
poussa un « ouille » discret et se renversa, s'abandonna, bras, tête et cuisses pendantes, masse molle
offerte à tous les soubresauts de la corde et tournil-
lant sur elle-même comme une boussole affolée.

« Arrête-le par les pieds ! » hurla Torain.

Gamichel put empoigner une cheville et fit frein de
tout son poids. On détacha fébrilement le gosse. Ils
tremblaient tous d'inquiétude en songeant à leur
responsabilité, aux larges mains, calleuses en dedans
et poilues en dehors, de leurs pères. Mais Vic, qui
perdait rarement son sang-froid ou le récupérait très
vite, s'aperçut aussitôt que Lui était seulement
étourdi, que sa blessure se réduisait à une estafilade.

« Ambulance, dit-il posément, tandis que l'angon se
métamorphosait en stéthoscope.

— Vic, t'exagères ! » balbutia Torain.

Ses neuf ans hésitaient, impressionnés par le filet
de sang et surtout par l'inertie de la victime, qui
roulait des yeux blancs.

« Il vivra ! » reprit le chirurgien de sa voix la plus
creuse, la plus solennelle.

Et Vic ajouta très bas, très vite, pour ne pas
rompre le fil de la nouvelle fable :

« Ballots, vous voyez bien qu'il n'a rien ! »

Torain ne bougea pas, mais Gamichel fit un bond
en arrière, tourna deux fois autour de la clairière et
revint sur ses pas, pilotant à toute allure, papoum,
papoum, papoum, le side-car du Secours d'urgence.

« Faudrait de la flotte, demanda Torain, encore
soucieux et ne jouant qu'à moitié. Faudrait aussi
qu'il se réveille... Hé, Bicot ! Hé, Lui !... Allons, *Louis,*
pas de blagues ! »

Cette lettre rajoutée au pronom qui lui servait de
sobriquet fit merveille : peut-être l'enfant n'avait-il

besoin que de cet *o* là. Il se souleva, secoua la tête et s'assit. Ses yeux se remirent en place, obéirent à la pesanteur. Sa voix traversa ses lèvres en même temps qu'un petit bout de langue :

« Je m'ai cogné dur.

— On dit : je me suis, rectifia Gamichel d'un ton qui redevenait acide.

— Petite affaire ! soupira Torain rassuré, mais curieusement déçu.

— Couche-toi, Bicot ! commanda Vic. T'as une fracture du crâne... T'es endormi, tu ne sens rien. Je vais te faire cent points de suture. »

Avec une froide douceur, il appuyait sur les épaules du petit, l'obligeait à se recoucher sur le dos !

« Encore ! »

Lui n'en dit pas davantage, vaincu cette fois par la demi-vraisemblance. Déjà Torain enlevait un de ses lacets, tendait ce catgut au chirurgien qui sortait son couteau scout et commençait à découper l'air en tranches, à fleur de peau.

*
* *

Il n'était pas encore quatre heures. La tache rose saumon du soleil, à peine visible entre les branches, glissait vers l'ouest. La lumière s'épaississait. Le vent s'était émietté, soufflait plus court, lâchait des milliers de petits rongeurs qui grignotaient le nez, les oreilles et les genoux des enfants. Il fallait remuer et l'opération ne le permettait guère. Très vite, les quatre passèrent à d'autres simulacres, plus réchauffants. Lui devint chèvre d'appât pour la chasse au tigre et le tigre, cela va de soi, dévora la chèvre avant de se reconnaître occis par le duc de Windsor et le maharajah d'Angkor (principauté indienne, paraît-il), qui le criblaient de boules de platane. Puis, brusquement, Torain voulut mériter son nom et planta ses cornes dans les fesses du moutard en lui intimant

l'ordre de se considérer comme un valet du toril,
tandis que Gamichel glanait des gratterons en guise
de banderilles et que l'angon, décidément protéi-
forme, prenait le nom de navaja.

« Non, la navaja, c'est un couteau court, protestait
le ruminant. Les toréadors emploient un espadon...
heu ! une espada...

— J'm'en fous ! criait Vic au taureau. Attention !
je me fends. »

Le coup fut fatal à la chemise et de graves
contestations s'élevèrent : non au sujet de l'accroc,
mais pour savoir si vraiment l'arme, quel que fût son
nom, avait bien pénétré par le défaut de l'épaule et
atteint le cœur de la bête. Le taureau préféra détaler.
La corrida se termina par une épreuve de cross, où
Lui n'avait aucune chance de briller. De nouvelles
controverses divisèrent les champions, qui réclamè-
rent un juge à l'arrivée et confièrent au bambin ce
poste détestable, quitte à huer ses décisions. Bref, de
cent mètres en cent mètres, de fantaisie en fantaisie,
continuant à réserver à leur souffre-douleur tous les
rôles désagréables, ils l'écœurèrent si bien que le
petit, malgré la peur que lui inspirait une traversée
solitaire de la forêt, préféra quitter la bande. Sommé
de fournir du combustible à l'unique allumette que
possédait Vic, il profita de l'occasion pour s'éloigner
en faisant mine de glaner du bois mort et, soudain,
prit ses jambes à son cou.

« Le morveux a peur du garde, dit Torain.

— Bon débarras ! » jeta Gamichel.

Mais Vic ne l'entendait pas ainsi :

« Taïaut, taïaut ! » cria-t-il en portant à sa bouche la
trompe du grand veneur.

Une nouvelle galopade mitrailla sèchement l'écho.
L'humus, gelé en surface, crevait comme une baudru-
che sous les pointes de galoches que relevait haut la
vivacité des genoux. Quelques bêtes, que n'avait point
engourdies l'hiver, s'écartaient en hâte, imprécises et

rampantes. Lui n'avait pas cinquante mètres
d'avance, mais il entraînait ses poursuivants vers la
basse forêt sur un terrain favorable, si spongieux que
le plus léger s'y trouvait avantagé. Cependant il ne
pouvait prétendre à la victoire dans une course de
fond. Il le comprit et, obliquant brusquement, débou-
cha sur une laie.

« On le tient ! hurla Vic, serrant les coudes et
allongeant ses foulées.

— Tu ne vois pas qu'il file au *Blocosse ?*

— Alors il est fait comme un rat. »

Profitant de sa légère avance qu'il ne pouvait
conserver sur le plat, Bicot, à bout de souffle,
rassemblait ses dernières forces. Le cube de béton
bâti par les Allemands pour faciliter la surveillance
des bois, le fortin désaffecté était devant lui, juché
sur sa butte à l'angle des Quatre-Chemins et coiffé de
gazon desséché. Si Bicot parvenait à l'atteindre, à
barricader l'unique porte, tous les garçons du haut-
bourg ne parviendraient pas à l'en déloger. Cette idée
rendit à ses muscles trop courts un peu d'énergie.
Serré de près, il s'envola sur le raidillon qui conduisait à l'entrée du blockhaus.y pénétra en trombe et, se
retournant juste à temps, claqua la porte au nez de
Vic... Dieu merci, il y avait encore une serrure garnie
d'une clef : crac et crac, le pêne se déclarait complice
et grinçait jusqu'au fond de la gâche.

« Tu ne perds rien pour attendre ! »

Accompagnée d'une violente tambourinade, la
menace de Vic traversa la porte, mais n'en eut point
raison. Coups de talon, puis coups d'épaule se succé-
dèrent, inutiles. Les assaillants renoncèrent : ils
étaient d'ailleurs hors d'haleine et avaient besoin de
récupérer.

« Siège !... annonça Vic.

— ... des Trois, précisa Torain, calé en histoire.

— Faut trouver un bélier », conclut Gamichel.

Bicot les entendait piétiner, haletants et rageurs.

L'un d'eux, lui sembla-t-il, s'éloigna au petit trot vers la forêt. Suffoquant, trempé de sueur et la gorge traversée par une sorte de gloussement, le gosse se laissa glisser sur la terre battue, tandis que ses yeux s'accoutumaient peu à peu à la pénombre. Le fortin n'était guère plus grand qu'une cabane de cantonnier et les meurtrières n'avaient pas trois doigts de large. Des bouts de ferraille rouillée jaillissaient du ciment armé qui conservait l'empreinte des planches de coulée. Le sol était jonché de gravats, de boîtes de conserve, d'étrons desséchés, de papiers significatifs. Les graffiti ne manquaient pas. *Ah! si Nénette voulait!* avouait l'un d'eux, tracé à la craie, en lettres énormes. D'autres faisaient à Julie ou à Marguerite des propositions précises, illustrées par de solides esquisses anatomiques. Une chauve-souris hivernait dans un coin entre deux toiles d'araignée désaffectées. L'épaisseur des murs protégeait du gel un bataillon de cloportes. Cependant, à la réflexion, Bicot se demandait si cette épaisseur le garantissait aussi bien de l'ennemi... Deux voix continuaient à chuchoter : ne parlait-on pas de madrier ? Ne proposait-on pas de l'enfumer comme un blaireau pour le contraindre à sortir ?...

« Ultimatum ! »

Le mot partit comme une fusée, sonore et magnifique. Vic le répéta cinq ou six fois, en prenant soin de prononcer « toum », car il était premier enfant de chœur et connaissait son latin. Bicot, rasant le mur, se rapprocha d'une meurtrière et risqua un coup d'œil... Bigre ! Gamichel et Torain escaladaient le raidillon, tenant chacun par un bout le tronçon d'estoc d'un jeune mélèze récemment abattu. Vic — ou le général Bugeaud — les mains en cornet, débitait de nobles invectives, intimait à Sidi Abd-el-Kader ben Lui ben Bicot l'ordre de quitter la place incontinent sous peine de terribles représailles. Abd-el-Kader rentra la tête dans les épaules et, quittant son observatoire, vint tâter les gonds de la porte avec inquiétude. Il regrettait son équipée. Il regrettait surtout de s'être laissé enrôler sous la bannière de Vic. Il le connaissait bien pourtant, cet impitoyable gamin, terreur de préau, tyran de venelle, responsable de ce « Lui » méprisant et de ce « Bicot », surnom stupide et d'ailleurs inexact, puisque Louis Sertao n'était même pas algérien, mais né d'une mère oranaise venue s'installer en France à la suite de ses patrons et mariée sur le tard à un ouvrier agricole portugais dûment naturalisé.

« Métèque, salaud, crétin, pétochard !... »

Lui se souciait peu de ces injures, homériques et rituelles. Mais il pouvait avoir peur du ton sur lequel elles étaient proférées : les vengeances de Vic étaient célèbres. Il s'inspirait, disait-il lui-même, des recettes d'un certain *Cucuclan,* coupait les cheveux de ses victimes, leur cirait le visage, les bourrait de coups savants qui faisaient mal et ne marquaient point, organisait des quarantaines que pas un gamin du village n'aurait osé enfreindre. Bicot n'y couperait pas d'un traitement de choix.

« Voyons, gémit-il en remettant le nez à la meurtrière, laissez-moi tranquille, je ne vous ai rien fait. »

Une pierre, sèchement lancée, vint éclater contre le rebord de ciment. Au même instant, le premier coup de bélier ébranla la porte. Bicot, affolé, se mit à tourner en rond, sautant d'une embrasure à l'autre. Malgré sa position favorable, il n'osait se défendre, il n'osait cribler l'assaillant, de peur de l'exaspérer. Il flageolait sur ses jambes et mouillait sa culotte.

« Alors, fils de bonne à tout faire et de bon à rien, tu te rends ? »

L'insulte, cette fois, immobilisa le gosse, le raidit.

« Dégueu... lasse ! » bredouilla-t-il, à l'adresse de Vic ou de lui-même, en tirant son mouchoir pour essuyer l'urine qui coulait le long de ses tibias. Puis il

trépigna, serra les poings, chercha quelques secondes
autour de lui et se précipita enfin vers un étron, plus
gros et plus frais que les autres, qu'il saisit à pleine
main. Vic, qui croyait Bicot incapable de riposte et
venait de se hisser jusqu'à la meurtrière pour recevoir
sa reddition, ne put redescendre à temps : le projec-
tile s'écrasa sur son nez, sur son prestige. Quant à
Gamichel et Torain, qui s'esclaffaient, ils eurent
bientôt mieux à faire : Lui, déchaîné, ramassant tout
ce qui lui tombait sous la main, leur jetait à la tête
ordures, boîtes de sardines, bouts de ferraille ou
gravats, les contraignait à battre en retraite jusqu'au
bas du raidillon.

*
* *

La bataille dura jusqu'à cinq heures. Il ne s'agissait plus d'un jeu, bien que Vic tînt à en conserver
les formes, par prudence, pour conserver une excuse
et faire état du consentement de la victime en cas
d'accident. Le style emphatique, cher aux gosses,
n'abusait plus personne ; le simulacre était renversé.
Vic criait encore : « Batterie, allongez le tir », pour ne
pas dire : « Vise mieux si tu veux l'atteindre en
pleine poire. » La hargne aidant et l'insuccès attisant
cette hargne, ces précautions mêmes disparurent
assez vite. D'ailleurs, Bicot, dès le premier instant, ne
s'était fait aucune illusion : « Armée d'Afrique » ou
gamins du bourg, il avait en face de lui des adversai-
res qui l'attaquaient à trois contre un selon les
meilleures traditions de l'héroïsme. Il fallait tenir
jusqu'à ce que l'heure contraignît les mousquetaires
à rentrer chez eux. Certes, l'étroitesse des ouvertures
rendait le tir des assiégeants à peu près inutile, alors
que le sien restait efficace, tout au moins dans un
rayon de cinq ou six mètres. Mais la nuit venait,
permettant à ces ombres que Lui ne reconnaissait
plus qu'à la voix de se rapprocher peu à peu. Les

munitions allaient manquer. Tout ce qui jonchait le
sol avait été expédié ; il ne restait plus que la terre,
piétinée, donc compacte, qu'il fallait extraire avec les
ongles et qui fournissait une mitraille molle, sans
portée...

« L'artillerie est détruite ! constata Vic, exprimant
la situation en langage stratégique. Les Nordistes
n'ont plus que des tromblons. On va pouvoir lancer
une offensive générale.

— Minute ! Moi, je suis claqué, bougonna Torain.

— Il est tard, qu'est-ce que je vais prendre en
rentrant ! » grogna Gamichel.

Vic rassembla son monde au « Q. G. », réchauffa
de son mieux l'enthousiasme défaillant de la troupe.
La nuit s'épaississait autour de ses chuchotements.
« On ne peut tout de même pas se laisser ridiculiser
par un morveux... On doit pouvoir maintenant enfoncer la porte... » Bicot profitait de cette accalmie,
creusait des dix doigts à la manière des lapins et
toujours au même endroit, car la terre devenait plus
meuble en profondeur. Enfin un triple glapissement
lui annonça que les mousquetaires s'étaient mis
d'accord sur le principe, sinon sur le décor de
l'assaut :

« Chargez !

— A l'abordage !

— Au dongeon ! »

Cette fois, Vic et Gamichel, pour faire diversion,
sautèrent chacun sur une embrasure, y enfournèrent
l'un son angon, l'autre une perche de châtaignier et
se mirent à taper dans l'ombre, au hasard. Pendant
ce temps, Torain, la casquette sur le nez et la tête
dans les épaules, récupérait le bélier et frappait à
coups redoublés, malgré la pluie de terre qui lui
inondait la nuque et pénétrait par le col de sa
chemise. Une planche craqua.

« Vas-y, la sape, tu l'as ! vociféra Vic qui ajouta

pour soutenir le moral des siens : On le déculottera, les gars ! Avec ma ceinture, que je le fesserai ! Et je l'attacherai, tout nu, à un arbre. »

Sous un autre coup, plus rageur, un panneau céda, tomba à l'intérieur. Mais aussitôt, utilisant l'ouverture béante, Bicot se mit à jeter des poignées de gravier dans les yeux du sapeur qui dut un instant abandonner la partie pour se nettoyer la paupière. Dans l'obscurité devenue totale, la bagarre devint confuse. Vic, d'un moulinet, atteignit Bicot au menton, mais perdit son angon. Gamichel avait retiré sa perche pour relayer Torain et Bicot, dont les ongles s'usaient, s'exténuait sur son trou, ne parvenait plus à fouir assez vite pour mitrailler convenablement l'ennemi. Un second panneau vola en éclats et Vic entendit avec volupté une exclamation étouffée qu'il prit pour un aveu d'impuissance.

« Hein, tu commences à l'avoir, la venette ? »

*
* *

Erreur. Lui n'avait plus peur. Lui était le maître du monde. Lui venait de sentir au fond de son trou, sous ses doigts, un objet rond, très dur, recouvert d'écailles ou, plutôt, de petits carrés. Un objet qui le sauvait de la défaite et de la honte. « Qu'est-ce que c'est ? » murmura-t-il, pour la forme, comme on dit : « Vous allez bien ? » à une personne affligée d'une mine resplendissante. Bicot n'ignorait pas qu'il venait de trouver une grenade, oubliée par le service de déminage : une grenade identique à celle qui, désamorcée, ornait la cheminée paternelle et dont Luis Sertao, ancien volontaire des Brigades internationales, aimait expliquer le maniement. On tirait sur l'anneau, on comptait jusqu'à trois, on lançait l'engin et le tonnerre de Dieu anéantissait les gens d'en face, les aplatissait, les émiettait sur la terre. Oui, Bicot savait très bien ce qu'il déterrait, avec précaution en grattant le sable tout autour, du bout de l'index, comme si le dernier panneau n'était pas en train de se disloquer, de se résoudre en une charpie d'échardes...

« Où es-tu, mon salaud ? »

Cette fois, c'était fini, il n'y avait plus de porte ; ils entraient tous, hurlant comme des Sioux autour d'un poteau. Sans plus de précautions, Bicot passa deux doigts dans l'anneau, arrachant de terre la grenade et amorçant du même coup le détonateur. Une main lui saisit le poignet au vol, le tordit. Bicot ouvrit les doigts et un poids lourd tomba sur les orteils de Gamichel. « Barrez-vous ou vous êtes mort ! » balbutia le gosse, saisi d'un remords tardif. Vic lui lança un coup de poing dans l'estomac :

« Te fous pas de nous. Il ne s'agit plus de... »

Il n'eut pas le temps d'achever sa phrase, ni même celui de voir le fulgurant soleil qui s'allumait à l'intérieur du blockhaus. Un éclat lui coupait en sifflet trachée-artère et carotide. Gamichel s'effondrait, les genoux broyés. Torain portait les mains à son ventre d'où dégoulinaient ses boyaux, fumants et bleuâtres. Seul le vainqueur put faire quelques pas, réussit à sortir du fortin. Mais il s'affaissa dehors contre le mur de ciment et se mit à râler, assis, tandis que de son front crevé commençait à sourdre ce mélange de cervelle et de sang qui lui nappait le visage et se transformait peu à peu en une couche de glace rose.

ACTE DE PROBITÉ

EN sortant, MM. les locataires sont priés de laisser leur clef au tableau... Malgré la pancarte dont le gérant, ex-sergent Pumilet, de l'Intendance, avait calligraphié le texte avec un grand amour de la ronde, Gonzague passa en courant devant le bureau de l'hôtel sans rien confier au petit crochet numéro 23. Néanmoins, il n'évita pas les cris de Mme Pumilet qui bondit à sa fenêtre, offrant à tout le quartier le double spectacle de ses bigoudis et de son indignation.

« Je vous ai bien vu, monsieur Rabotin ! Vous pouvez la garder, votre clef. Je vous fiche mon billet que ça ne vous empêchera pas de coucher dehors ce soir si vous ne m'avez pas payée. »

Gonzague feignit de ne rien entendre. Instinctivement — et peut-être aussi pour se réchauffer — il galopa jusqu'à la rue de Tolbiac et passa devant son quartier général : le café des Arts-Réunis. Comme d'habitude entre le café crème et l'apéritif, Bertrand astiquait les percolateurs dont une buée sympathique ternissait les chromes. Mais les poches de Gonzague étaient vides, son crédit épuisé. Il soupira et, relevant les revers de son veston, s'enfonça dans un maussade petit matin de condamné à vivre.

Novembre crachait menu sur l'asphalte où fleurissaient les ombelles noires des parapluies. Gonzague

se sentait creux, chétif, humide, offert à tous les
vents. Il remontait maintenant la rue de Tolbiac, en
suivant l'extrême bord du trottoir et en évitant soigneusement de marcher sur les raies : vieille habitude contractée quand il jouait encore à la marelle et
qui, devenue en quelque sorte une discipline professionnelle, lui donnait une grande sûreté de pied lors
de ses « perquisitions » domiciliaires.

Au carrefour Tolbiac-Italie, Gonzague hésita : il
ne savait que faire ni où aller. Pour la première fois
de sa vie, il envia les joues nettes, la pèlerine épaisse,
les bons souliers, le ventre gonflé de fayots du flic de
faction, planté au milieu de la rue. La bruine s'épaississait, insistait, transformait sa tignasse en éponge.
« Si je ne parviens pas à trouver une affaire ou un
copain pour me dépanner, me voilà frais ! » grogna-t-il. Recroquevillé dans ce qui avait été son
Prince-de-Galles — au lendemain d'un heureux coup
de main — Gonzague repartit au galop vers la place
d'Italie, l'atteignit en trois minutes et obliqua vivement sur sa gauche pour gagner la bouche de métro
qui lui offrirait un abri. *30 novembre : Saint André*
annonçait l'ardoise écolière de la fleuriste installée au
débouché de la rue Bobillot. « C'est la fête de mon
vieux ! » pensa pieusement Gonzague, orphelin depuis
plus de dix ans. Ses yeux s'abaissèrent machinalement vers les rangées de pots de chrysanthèmes serrés
comme des moutons autour de la baraque. Ses yeux
s'abaissèrent... et ses paupières se mirent à papilloter.

« Ça, alors ! »

Impossible d'en douter. Là, devant lui, à peine
mouillé, donc tombé depuis quelques secondes seulement, gisait un portefeuille. Un *lazane !* Un vrai. Pas
un de ces misérables porte-billets qui sont surtout des
porte-coupures et dont la moleskine s'écaille en
moins de huit jours dans la poche des pauvres. Mais
un vrai portefeuille, un luisant, un orgueilleux, un
bouffi, dont la peau de chèvre et les initiales d'or

valaient à elles seules la paie mensuelle d'un de ces
comptables ou de deux de ces dactylos qui s'engouf-
fraient dans la bouche du métro, à moins de trente
mètres.

Le propriétaire était peut-être encore dans les
parages. Gonzague, ce petit chacal, se montra pour
une fois à la hauteur des circonstances : il ne se jeta
point sur le maroquin, n'attira pas l'attention par un
geste trop vif. « Du calme ! » se commanda-t-il. Le
sourire, qui lui fendait déjà les joues jusqu'aux
oreilles, fit place à la plus désabusée des moues.
Néanmoins, il fallait faire vite. Gonzague avança
d'un pas, sortit son mouchoir, remarquablement sale,
y trompetta deux ou trois notes, puis sous prétexte de
le remettre dans sa poche le laissa tomber au bon
endroit.

« Mon tire-jus ! »

L'exclamation fut prononcée avec un talent digne
d'un plus grand rôle et le bras expédié à la recherche
du mouchoir avec la sobre assurance du propriétaire
qui ramasse son bien. Une jubilation intense incendia
les prunelles de Gonzague dont les tendons d'Achille
éprouvaient une grande impatience et dont les doigts
de pied se recroquevillaient dans leurs chaussures
trouées... Hélas ! comme le portefeuille glissait dans
sa poche, une voix pointue, une voix d'eunuque lui
perça le dos :

« Pas mal ! C'est exactement ce que j'aurais fait. »

*
* *

Gonzague tressaillit, mais se retourna et fit face.
L'ennemi, à en juger par ses propos, n'était pas un
flic, mais un concurrent. Il se présentait d'ailleurs
sous l'aspect d'un petit bonhomme au poil gris, aux
yeux gris, noyé dans une blouse grise et qui pouvait
être un manipulant des P. T. T., un artisan ou un
magasinier de Prisunic.

« La bonne affaire, hein ?

— Quelle affaire ? répondit Gonzague, très froid.

— Mais voyons... le portefeuille. Moi aussi je l'avais vu. Tu m'as devancé. »

Imperturbable sous la pluie qui constellait sa blouse de taches sombres, il toussotait, graillonnait, se raclait la gorge, expédiait sur le trottoir des crachats d'asthmatique, épais et jaunes comme du pus. Il finit par proposer, dans un souffle : « Alors... on partage ? »

Gonzague ne répondit rien et, par prudence, s'éloigna de quelques mètres. Dieu merci, la fleuriste n'avait rien entendu et le propriétaire ne se manifestait pas. Il n'y avait plus qu'à décramponner le vieux. Mais celui-ci le saisit par la manche et précisa, en détachant les syllabes :

« Je-me-con-ten-te-rai-du-tiers. »

Puis, comme Gonzague, toujours muet, commençait à descendre la rue Bobillot dans l'espoir évident de le semer, le bonhomme, qui trottinait à ses côtés, s'impatienta :

« Je dis le tiers. Mais si tu continues à faire l'idiot, j'exigerai bientôt la moitié. »

Alors Gonzague, qui suait de rage, s'arrêta net et pointa sur le barbon un regard plus méchant qu'une mitrailleuse jumelée.

« De quoi ? Vous n'avez pas honte ? Pour qui me prenez-vous, monsieur ? Vous ne voyez pas que je vais au 38 ? »

Le 38, rue Bobillot, tout le monde le sait dans le XIIIe, c'est le commissariat du quartier de Maison-Blanche. Gonzague Rabotin avait parlé haut. Craignant un esclandre et des complications, l'homme à la blouse grise haussa les épaules et battit en retraite, en grinçant :

« On verra bien !

— C'est tout vu ! » cria Gonzague, qui lui tourna définitivement le dos et piqua tout droit sur le *Car* en adoptant cette allure déhanchée, saccadée, par quoi les petits gars des faubourgs entendent exprimer la vigueur de leurs décisions.

Il n'était pourtant pas tellement rassuré. « Pourvu, songeait-il, que je ne tombe pas sur un type qui me connaît ! J'ai déjà été *emballé* deux fois, rue Bobillot. » Un discret coup d'œil en arrière lui apprit que le maître chanteur le suivait toujours, prêt à le rançonner ou à le trahir. Non, décidément, il ne lui était pas possible de se présenter devant le chien du commissaire ou devant l'un de ses suppléants. C'était trop risqué.

Heureusement, sous le drapeau, sale et trempé comme un torchon qui vient d'essuyer la vaisselle, un agent battait la semelle. Gonzague le dévisagea rapidement : il ne l'avait jamais vu. Laissant son suiveur, tenace, s'immobiliser sur le trottoir d'en face, Gonzague traversa, mit ostensiblement la main à la poche, en tira un objet rectangulaire et le tendit au gardien de la paix.

« Chef, dit-il très haut, voilà ce que je viens de trouver place d'Italie, près de la bouche de métro. »

L'agent salua, prit le portefeuille, le tourna, le retourna, glissa un doigt gourd entre les papiers, hocha la tête d'un air édifié.

« C'est bien, mon garçon, c'est bien, ce que vous faites là. Mais il faudrait que vous montiez au premier faire votre déclaration.

— Je n'ai pas le temps, répliqua vivement Gonzague. Je fais une course urgente pour le patron. Je repasserai dans une heure.

— Bon, reprit l'agent. Mais n'oubliez pas que vous avez droit à une récompense. Dix pour cent au minimum, c'est la loi. Laissez-moi votre nom et votre adresse. »

Gonzague hésita une seconde. Puis il épela, très calme :

« Larnaud, L-A-R-N-A-U-D... 35, rue des Cinq-Diamants. A tout à l'heure, chef.

— C'est bien, répéta l'agent qui manquait d'imagination.

— Bah ! » fit encore Gonzague.

Il dressa deux doigts le long de sa tempe comme pour toucher une casquette absente et, tandis que l'agent rempochait son calepin, repartit au trot vers la place d'Italie. Il passa, superbe, à trois mètres du bonhomme en gris, vissé dans le trottoir, qui lui rendit mépris pour mépris et murmura entre ses chicots :

« Saint Ballot, priez pour nous ! »

*

* *

« Le plus ballot des deux n'est pas celui qu'on pense... » Tel était, cinq minutes plus tard, l'avis — provisoire — de Gonzague, assis dans un coin discret du café des Arts-Réunis. Devant lui brillait l'opale fondue d'un Pernod et s'étalait le maroquin aux initiales d'or.

W.K., W.K... Ce n'étaient pas des initiales de bourgeois autochtone. W.K. ! Le *cave* se doublait d'un métèque et le patriotisme de Gonzague en éprouvait quelque satisfaction. Sa conscience professionnelle aussi : les plus minces justifications sont bonnes à prendre. W.K. ! Le bon goût, la fine plaisanterie insinuaient : pourquoi pas W.C. ? Avec un sang-froid délicieux, Gonzague refusait de précipiter l'inventaire, de déflorer trop vite son plaisir. Les prénoms en W sont rares. Il y a Wallis, comme la fille qui s'est envoyé un roi. Mais non, un portefeuille appartient à un homme. Wilhem, Gonzague pariait pour Wilhem, il avait connu au bataillon un Wilhem, un Alsacien, un type capable « d'écluser ses dix vertes ».

« Bertrand, remets-moi ça ! » Prudent, Gonzague croisa les bras sur son trésor. Mais tandis que Bertrand le servait, sa main crispée sur le portefeuille en faisait chanter le cuir neuf. Une fois le cafetier retourné à ses percolateurs, les coudes se soulevèrent, le maroquin réapparut et son nouveau propriétaire, après avoir lampé la moitié de son verre, commença la fouille, posément, délicatement.

La broutille, d'abord. Question de principe : il faut doser ses émotions, se réserver le dessert de la grosse surprise. La minuscule case à timbres était vide, bien entendu. Vide aussi celle qui sert à ranger les billets de métro : tous les *tireurs* savent que l'ingéniosité des maroquiniers est purement spéculative. Voisinant avec un carnet d'autobus, trois coupures de journaux, un récépissé de mandat-contribution, deux billets de cinéma et un cure-dents, une carte de visite occupait par miracle la pochette qui lui était destinée. A vrai dire, ce n'était pas celle de W.K., mais le bristol engageant de *Julie Sécheret, infirmière diplômée, piqûres à domicile.* Le pouce et l'index explorèrent alors la pochette suivante : celle des papiers. Ça devenait sérieux. Gonzague vida son verre.

« Bertrand, un autre ! »

L'épluchage continua devant ce troisième Pernod. Le pouce et l'index ramenèrent d'abord une carte d'identité numéro 2 579 367 et Gonzague, qui avait eu des dispositions pour l'arithmétique, se demanda s'il s'agissait d'un nombre premier. Petite déception : Wilhem succombait devant William et le patronyme, *de Kerfaouet,* prouvait que le métèque était en réalité d'origine bretonne. « Après tout, je m'en fous ! » grogna Gonzague qui se réchauffait. Le nez sur la photo gaufrée par le timbre sec de la Préfecture, il estima que, Breton ou non, le type avait une sale gueule. Puis l'inventaire s'accéléra. Permis de conduire, carte grise, volet C..., ces pièces-là étaient négociables, elles intéresseraient sans doute quelque maquilleur de ses relations. Toutes proclamaient la profession de William de Kerfaouet, résumé par la préposition *sans.* Gonzague eut une moue de mépris, car il avait son code : un homme doit choisir l'aventure ou le travail. Jouir sans risque et sans peine, telle était la seule, l'indiscutable immoralité. Cependant, si ce Kerfaouet manquait de principes, il ne manquait pas de goût. Quatre photos extirpées de la dernière pochette en administraient la preuve. De la première, représentant une dame un peu mûre, encore que très bichonnée, on ne pouvait rien dire. Il s'agissait sans doute de la mère, de la douairière de Kerfaouet. Mais les trois autres étaient sensationnelles ! Quel morceau de roi, cette gosseline nue, vue de dos, de face et de profil ! Gonzague, congestionné, but d'un trait son troisième verre et siffla le rinceur :

« Ce coup-ci, ce sera un *perroquet.* »

L'ouverture de la poche intérieure ne pouvait plus être retardée. Gonzague se posa une suprême devinette : à en juger par l'épaisseur, quelle somme pouvait-elle contenir ? En billets de cent, ce matelas de papier valait cinq ou six *sacs.* En billets de mille, quinze ou vingt. Gonzague tira la languette et, soudain fébrile, secoua le portefeuille, en fit tomber tout le contenu sur la table.

« Nom de Dieu, le grand format ! »

Quelle aubaine ! Tous ses espoirs étaient dépassés. Le hasard faisait magnifiquement les choses, lui offrait, à côté de coupures non négligeables, une liasse de dix billets de dix mille. Une liasse toute neuve dont l'emploi était expliqué par ce mot que William de Kerfaouet y avait épinglé :

Ma chérie, je ne sais pas à quelle heure tu dois rentrer de voyage. A tout hasard, je passerai ce matin. J'ai — enfin — réuni les cent mille francs, patiemment économisés sur les petites largesses du Chili. Je te les apporterai en même temps que les photos prises l'autre soir. Si je ne te trouve pas, je laisserai ce mot sur ta table de nuit et je reviendrai

*dans l'après-midi. Je me suis arrangé pour avoir deux
jours libres. Bec à bec.-* WILLIAM.

« Ma chérie ! murmura Gonzague d'une voix mouillée, en levant le coude. A ta santé ! »

Son verre tremblait au bout de ses doigts. Il avait
froid, il avait chaud, il riait, il suait d'enthousiasme.
Sa joie, sa stupéfaction, ses idées s'embrouillaient un
peu, se mélangeaient, vagues et laiteuses comme le
fond de son verre.

« Nécessaires ! Nécessaires à quoi, les cent billets ?... A soigner le petit Gonzague... Bertrand, une
tomate ! »

Bertrand servit, louchant sur les billets, mal cachés
par une manche. Gonzague but sa tomate, estima
qu'elle manquait de grenadine, en commanda une
autre qui, selon lui, se trouva manquer de Pernod, se
fit apporter les bouteilles et procéda lui-même au
mélange qu'il corsa et déclara parfait. Puis, soudain
solennel, il renvoya Bertrand à son comptoir et
s'entretint de ses petites affaires... Voyons ! Il n'avait
plus de papiers puisqu'il avait donné à l'agent son
propre portefeuille. Mais il était sûr de le récupérer
aux Objets trouvés. Larnaud, son pote — et parfois
son « associé » — dont il avait utilisé le nom, ne s'en
formaliserait pas. Au contraire ! Un acte de probité
porté au compte de cette bonne crapule... Quel
argument pour son avocat, quand il lui faudrait une
fois de plus attendrir un tribunal !

Bien sûr, oui, bien sûr, Gonzague pouvait s'offrir,
en prévision de la même aventure, le même genre de
référence... Mais quelle idée ! On peut rendre cent
francs, on n'en rend pas cent mille. Rendre ! Le verbe
dit tout !

Inquiet cependant — pourquoi donc ? — Gonzague recompta liasse et coupures. Avec lenteur. Avec
considération. Avec un peu moins de chaleur. Le ver
était dans le fruit. « Je ne devrais jamais boire de

tomate, pensa-t-il. La grenadine, c'est doucereux, ça m'attendrit. » Puis il trouva une plus sérieuse explication : « Cent onze mille cinq cents balles, en tout. Il n'y a pas à dire, voilà une somme ! Mais au fond, c'est du trouvé, ce n'est pas du gagné. Je n'aime pas le genre cloche. Il faut se méfier de la facilité. On commence par ramasser un portefeuille, on trouve ça bon, on perd l'habitude de se mouiller, on finit par ramasser des mégots. » Gonzague pouvait le proclamer bien haut... Il n'était pas ce que pensait de lui un vain peuple, affublé de rabats et de toques, sur la seule foi de son casier judiciaire. Un type aux raffinements obscurs, aux délicatesses secrètes, voilà ce qu'il était. Un élégant. Peut-être pas un luxueux, si vraiment l'honnêteté est un luxe : mais uniquement parce que ce luxe, aux prix courants, lui restait encore inabordable.

Gonzague soupira. La grenadine, sans doute, continuait à l'amollir. Mon Dieu, il fallait l'avouer : le nommé Rabotin n'était, à jeun, qu'un petit salaud, un misérable *casseur* de faubourg. Mais il trouvait quelque vertu dans son verre. Dès le sixième Pernod, il rêvait de villa de banlieue, de pantoufles, de job tranquille, de petits Rabotin, de moralité. Pour être honnête, voilà, il lui fallait être soûl. L'ennuyeux, c'est que pour boire, l'argent est encore indispensable dans les bistrots de la Butte-aux-Cailles et que Gonzague devait se procurer cet argent par des moyens... ah, oui ! par des moyens moins édifiants que leurs fins, auxquelles personne ne pouvait croire.

Gonzague soupira de plus en plus fort, reprit un pernod, bien sec et, tonnerre ! se ressaisit. Hein ? Personne n'y pouvait croire ? On allait voir ce qu'on allait voir ! Ce truand de Larnaud, cet empoisonneur de Bertrand, et les copains d'aventure, et même les Pumilet, les petits-bourgeois dont la vertu s'arrête là où commence l'impunité... Il les épaterait tous, ces pâles combinards ! Il s'épaterait lui-même pour le reste de ses jours ! Et comme, tout de même, l'instinct, la faim, la sagesse noire protestaient au fond de lui, Gonzague s'accabla soudain d'arguments. Il n'y perdait rien. Pas un sou. Il avait espéré une dizaine de sacs. Les dix pour cent légaux lui assuraient un peu plus de onze mille. Avait-il jamais gagné onze mille balles honnêtement et, de surcroît, sans rien faire ? L'occasion était rare et le jour symbolique : quelle heureuse manière de fêter la Saint-André ! Il en remuerait d'aise dans sa tombe, le père Rabotin, cet intraitable, ce miséreux incapable de faire tort d'une épingle à un milliardaire. Allons, il ne fallait pas attendre une seconde de plus de peur d'être tenté. Il était déjà déplorable de payer les soucoupes sur les dix pour cent que lui devait Kerfaouet.

A contrecœur, Gonzague préleva un billet de cinq cents francs, puis remit les papiers, les photos, l'argent dans le portefeuille et le portefeuille dans sa poche. Enfin, il se leva péniblement.

« Ça fait trois cent cinquante ! cria Bertrand, inquiet.

— Paie-toi ! répondit Gonzague, jetant le billet sur la table. Si Larnaud passe ici et me demande, ajouta-t-il, dis-lui que je suis dans le XVIe.

— Dans le XVIe oui ! » répéta d'un air entendu le cafetier, casseur en retraite qui n'ignorait point la profession de sa clientèle ni les quartiers où elle s'exerce de préférence.

Puis, comme Gonzague faisait trois pas vers la porte, en vacillant, il précisa toute sa pensée en lançant un discret : « Bonne chance ! » accompagné d'un hochement de tête attristé qui en disait long sur l'état dans lequel doit se trouver un homme qui va s'occuper de choses sérieuses.

*
* *

Une heure plus tard, Gonzague, se fiant aux indications portées sur les papiers de William de

Kerfaouet, escaladait les cinq étages d'un immeuble cossu de l'avenue Henri-Martin. Il avait évité la concierge — vieille précaution ! — dédaigné l'ascenseur et montait lentement, le pied bien à plat, répartissant son poids sur toute la marche pour l'empêcher de craquer. Il savait sa prudence inutile, mais ne parvenait pas très bien à se rendre compte qu'il grimpait pour une bonne cause un escalier à tapis. Il était tout épaté de ne pas sentir dans ses poches la pesante présence de ses passe-partout, de ses cales, de sa pince-monseigneur démontable, invention personnelle qui eût mérité de figurer au concours Lépine. A chaque palier, il faisait une courte pause, examinait les cartes de visite, les pla-ques de cuivre, les sonnettes et surtout les divers systèmes de sécurité : verrous à pompe, Yale, Bloc-tout, œilletons-mouchards et autres ennemis habi-tuels qu'il honorait d'un regard de connaisseur, ana-logue à celui que jette sur son ouvrage fortifié l'officier qui y pénètre, porteur d'une proposition d'armistice. Mais les portes n'affichaient pas toutes le nom des locataires et, parvenu au cinquième, Gonzague n'avait pas lu celui de Kerfaouet. Il allait se résigner à redescendre pour interroger la concierge, quand l'ascenseur déposa devant lui une femme de chambre de grande maison, portant tablier et dia-dème de dentelle. Interrogée, la petite le tira d'embar-ras :

« M. de Kerfaouet ?... Je suis sa bonne. »

L'allure de Gonzague et sa terrible haleine la firent hésiter :

« Je ne sais pas toutefois si Monsieur...

— Je ne le connais pas, fit Rabotin d'un ton ferme. J'ai seulement trouvé son portefeuille dans la rue et je le lui rapporte.

— Oh ! Alors, entrez ! » reprit la fille avec une sorte de respect qui mit un baume sur la fierté de Gonza-gue.

Son trousseau tinta. Avant qu'elle ait eu le temps d'ouvrir, l'infaillible coup d'œil de Gonzague avait noté : *clef bénarde, rainure à gauche, six dents en escalier.* Accrochée à la première, la clef du verrou fournissait ce renseignement complémentaire : *serrure à peigne justiciable du rossignol en fil d'acier.* Le vantail, qui était seulement tiré, s'ouvrait déjà et Gonzague s'effaçait, par politesse et surtout pour se donner le loisir de surprendre encore ce détail qui, en d'autres lieux, l'eût réjoui, car il rend vulnérables les portes apparemment bien défendues : *pas de crémone, deux tirettes encastrées dans l'épaisseur du battant.* Mais une voix de femme le rappela soudain au sens des réalités :

« Adèle, je vous ai dit cent fois de prendre l'escalier de service ! »

Jaillie du fond de l'appartement, la voix chantait, accentuait curieusement les e muets, s'avouait étrangère et Gonzague, dont l'ivresse cédait un peu et dont les bonnes dispositions faiblissaient dans la même mesure, se força pour s'en prétendre satisfait. Cet acte de probité ferait une excellente propagande touristique. Très gêné, impressionné par la splendeur du hall, par cette profusion de fleurs, de bibelots, de choses très inutiles et très coûteuses, il restait planté sur la moquette, affectant un air bourru, selon lui inséparable de la simplicité et de la vertu. En même temps, l'automatisme professionnel continuait à jouer et, pour meubler l'attente, il repérait la disposition des lieux. La bonne s'était éclipsée pour courir aux ordres et des bouts de phrase, prononcés à voix basse, parvenaient jusqu'à lui. Il distingua nettement : « Je n'y comprends rien », puis : « J'espère que vous ne l'avez pas fait entrer au salon ! » et apprit ainsi que, pour les grands de ce monde, l'honnêteté fait partie du petit personnel. Il déchantait. Mais presque aussitôt on murmura : « J'y vais, j'y vais ! » et Gonzague sourit à la pensée de voir apparaître, habillé, ce nu dont il connaissait trois alléchants aspects.

« Ma femme de chambre m'assure que... »

Nouvelle désillusion! Cette masse contenue dans une immense robe de chambre de soie rose et qui s'avançait, lente, mesurant ses gestes, portant haut une solennelle poitrine d'où s'écoulaient des parfums, c'était l'autre photo. La dame mûre. La mère. Tandis qu'elle s'approchait, meublant largement l'atmosphère, Gonzague se sentait diminuer de volume.

« Oui, ma... madame, bégaya-t-il. J'ai trouvé le portefeuille de votre fils... place d'Italie.

— Mon fils ? fit la dame, qui parut étonnée.

— M. William de Kerfaouet, précisa Gonzague. Sa carte d'identité m'a donné son nom et son adresse. »

La dame eut un léger haut-le-corps. Les fanons de son cou se tordirent, sa tête vira sur la droite et son regard alla ricocher sur une glace de Venise, qui ne lui fournit aucune consolation. Elle rougit. Mais, très vite, un grand courage mondain recomposa ses traits, leur ordonna d'être bienveillants, d'être amusés.

« Et vous dites que vous avez trouvé ce portefeuille place d'Italie, ce matin ?

— Oui, madame, ce matin. Il était tombé sur le terre-plein. Il était bien visible et M. de Kerfaouet venait certainement de le perdre... Sinon, il eût déjà été ramassé. »

Cette fois, la matrone fronça le sourcil.

« Voilà qui est singulier, dit-elle en reculant d'un pas pour éviter l'haleine de Gonzague. Mon mari est parti à la chasse, en Sologne, pour deux jours. »

Son mari! Gonzague, lui aussi, fit un pas en arrière. Il ne savait pas rougir, mais la sueur lui vint au front. *Je me suis arrangé pour avoir deux jours libres,* disait le mot de William, qui faisait aussi allusion au *Chili.* La situation devenait limpide. Gon-

zague était devant le Chili. Kerfaouet avait donné son
nom à cette grosse Sud-Américaine, dont l'argent lui
servait à gâter une gamine du treizième. Kerfaouet
n'était qu'une variété de gigolo, un parasite qui ne se
mouillait jamais — sauf de salive — un mendiant de
première classe. Le geste de Gonzague, inspiré par le
mépris de la facilité et le respect du risque, aboutis-
sait à ce paradoxe : avantager un lascar qui vivait
sur des principes contraires. Et allez donc, voilà ce
que c'est d'être ce qu'on est ! On rate même ses
bonnes actions. L'austère Gonzague, qui promenait
tout à l'heure une tête de prix Montyon, c'était tout
juste si maintenant il ne faisait pas figure de mouchard. De mouchard, lui, Gonzague, un homme que
les poulets n'avaient jamais su faire parler !

« C'est ennuyeux, fit-il, pour rompre à tout prix le
silence. On m'a bien recommandé de remettre ce
portefeuille en main propre. »

« On » avait le dos large. Mais Gonzague cherchait
avant tout à battre en retraite. Quels dégâts, s'il
remettait le maroquin à la femme ! Et d'ailleurs,
pourquoi s'en défaire ? A peu près dégrisé, il avait
envie de reconsidérer la question.

« Je repasserai », proposa-t-il.

La grosse dame ne se vexa point. Figée comme une
cariatide, la tête enfoncée dans les épaules, elle
semblait supporter avec peine le poids d'un temple
prêt à s'effondrer. De toute évidence, elle tenait
moins au portefeuille qu'à l'explication de sa perte.
Elle fit un effort pour articuler :

« Mon Dieu, monsieur, vous pouvez me remettre... »

Un bruit de clef l'interrompit. La porte d'entrée
s'ouvrit sans douceur.

« Monsieur ! s'exclama la femme de chambre.

— Mon mari ! » fit la Chilienne. « C'est complet ! » se dit Gonzague. Mais William de Kerfaouet
refermait la porte sans hâte, puis s'avançait, l'air

52   LE BUREAU DES MARIAGES

naturel et dégagé. Il fallait en convenir : ce gar-
çon-là avait de l'allure. Rien de forcé dans le sourire,
pas l'ombre d'une hésitation dans les gestes. Son
élégance, assez sûre d'elle-même pour être discrète, se
faisait complice de son aisance : son large manteau
de voyage entrouvert balayait les soupçons, son col de
chemise était si blanc, si net qu'il inspirait confiance.
Ce fut d'un ton parfait — contrarié, certes, mais
suffisamment détaché et ramenant l'incident à ses
justes proportions — qu'il prononça :
    « J'ai dû rebrousser chemin, Evita. Figurez-vous
que j'ai perdu...
    — Votre portefeuille... place d'Italie ! Je sais.
Monsieur vient de nous le rapporter. »
    La cariatide s'était redressée, sa voix tombait de
très haut. Mais Kerfaouet, vraiment, avait de la
classe. Son regard interpréta le geste de Gonzague
qui venait de glisser la main sous le revers de son
veston. Le portefeuille était encore là, rien n'était
perdu. En de telles situations, il suffit de parler
d'abondance, d'exceller en cet art insolent qui utilise
la même salive et produit les mêmes effets que la
sincérité.
    « Vous voyez, Evita, on a beau dire, ce pays reste
un pays de braves gens. Place d'Italie !... Je l'ai
cherché partout, ce portefeuille ! J'ai démonté les
coussins de la voiture, je suis retourné au garage, je
viens d'interroger la concierge... Place d'Italie ! Je n'y
pensais même plus et pourtant je ne pouvais pas
l'avoir perdu ailleurs, c'est là que je me suis arrêté
pour acheter des œillets. J'ai dû remettre ce fameux
portefeuille à côté de ma poche, après avoir payé.
J'étais pressé... »
    Gonzague vit que la grosse Evita commençait à
sourire. Lui-même en bâillait d'admiration ! Pour
mieux mentir, Kerfaouet embauchait la vérité. Il
avait certainement perdu le portefeuille en achetant
des fleurs : des fleurs pour l'autre. Cependant, le

beau William, avec un brio qui dénotait un long
entraînement, continuait d'improviser :

« J'étais pressé... Au dernier moment, je me suis
aperçu que je n'avais pas de chevrotines. Oubli
regrettable, car je pouvais avoir du sanglier à tirer.
Les armuriers n'étant pas encore ouverts, je me suis
décidé à faire un crochet par Choisy, où habite ce
nemrod, vous savez bien : mon cousin Roger... Je
comptais lui emprunter quelques cartouches. Il m'a
semblé civil de me munir d'un bouquet pour sa
femme... »

Toutes réflexions bousculées, la graisse heureuse,
Evita souriait à grands plis. Intarissable, son époux
renforçait sa petite histoire en la rendant incontrôla-
ble :

« Il est heureux que l'idée me soit venue de prendre
de l'essence près de Choisy. Et plus heureux encore
que j'aie mis la main à ma poche avant d'être servi.
Sinon, j'aurais eu l'air fin ! »

Justifié, innocent, sachant bien que tout commen-
taire appauvrit sa légende et ne laissant à personne le
temps de respirer, Kerfaouet se tournait vers Gonzague et débitait d'une voix fondante :

« Vraiment, monsieur, je ne saurais trop vous
remercier. Perte d'argent, mon Dieu ! n'est pas mor-
telle. Perte de papiers devient plus grave, bien qu'on
puisse toujours obtenir des duplicata. L'irremplaça-
ble pour moi, voyez-vous, c'est le portefeuille lui-
même. Il y a des cadeaux que... »

La phrase resta suspendue, pudique, entre
M. de Kerfaouet et Madame, qui roucoula discrètement :

« Chéri ! »

Gonzague, lui, se rembrunissait. Kerfaouet était
fort, mais il exagérait. Sa femme aussi, qui, avec tout
son fric, n'était pas plus maligne que ces bonnes
putes éternellement victimes de leurs oreilles et prêtes
à engraisser le baratineur-maison. Joli duo ! Scène

charmante, où l'on avait à juste titre offert un bout
de rôle à cet autre imbécile, qui sitôt soûl, se laissait
embobiner par son ange gardien et venait rendre
un argent dont il avait le plus grand besoin. Ce qui
était fait était fait, bien sûr. Tant pis ! Mais il
fallait en finir. Gonzague plongea brusquement la
main sous son veston, ramena le maroquin, le
tendit à son propriétaire en disant du fond de la
gorge :

« Voilà l'objet ! »

Puis, du bout des lèvres :

« Si vous voulez contrôler... »

Le sacrifice était consommé. Sans trop de hâte
mais sans retard, Kerfaouet reprit son bien, le glissa
dans sa poche et répondit avec une négligence déjà un
peu hautaine :

« Oh ! je vous fais toute confiance ! »

Un silence lui servit de transition : un de ces
silences qui assurent le refroidissement des chaleurs
intempestives, qui vous invitent à prendre bientôt
congé. Quand il rouvrit la bouche, sa voix avait baissé
d'un ton :

« Encore une fois, merci ! Je ne sais comment nous
pourrions faire pour vous témoigner notre... »

Le mot « gratitude » resta inaudible. La fortune et
l'élégance peuvent-elles avoir des obligations envers la
guenille ? La reconnaissance, ça monte, ça ne redes-
cend pas.

« Oui, comment pourrions-nous... ? répéta mollement la femme. William, n'est-il pas d'usage
de... ? »

Dans cette maison, décidément, on n'achevait pas
souvent ses phrases. Le mari prit le relais :

« Me voici bien gêné... Un pourcentage ! Le mot est
aussi vilain que la chose. Je ne voudrais pas vous
froisser, monsieur... »

Son regard devint d'une singulière intensité, s'ap-
puya sur celui de Gonzague, qui comprit. Un pour-

centage? Impossible d'en préciser le chiffre sans avouer l'importance de la somme contenue dans le maroquin et *patiemment* (donc secrètement) *économisée sur les petites largesses du Chili.* Foutus, les dix pour cent! Orgueil ou « mentalité », délicatesse ou « régularité », les mots ne faisaient rien à l'affaire. Mais, en tout cas, un Gonzague — qui prend, qui ne mendie pas — était incapable de protester, de marchander un secret, de jouer au maître chanteur.

« Laissez donc ça, fit-il rudement. Je ne demande rien. »

Kerfaouet non plus ne demandait rien d'autre. En trois ou quatre phrases, il enveloppa, ficela cet honorable refus :

« Je suis confus, mais je vous comprends bien. A votre place, j'en ferais autant. La probité se rétribue elle-même. Il n'y en a pas de mercenaire... Puis-je au moins savoir votre nom ?

— Je ne désire pas être connu. »

Gonzague répondait de plus en plus sèchement. Il enrageait. Ce qui arrivait, il ne l'avait pas volé, c'était le cas de le dire ! Ces gens-là faisaient leur boulot de bourgeois. A lui de faire le sien. *Clef bénarde, rainure à gauche, six dents en escalier...* Pourquoi pas ? Sa probité avait l'habitude de se rétribuer elle-même, en effet ! A cent pour cent.

« Enfin, si jamais vous avez besoin de quelque chose, d'une recommandation, d'une aide quelconque, n'hésitez pas. Un service en vaut un autre. Nous avons quelques relations. »

Ce disant, Kerfaouet se redressait, protecteur, tenant ainsi pour payée la vague supériorité morale d'un inférieur, rétablissant les saines valeurs sociales.

« Encore une fois, *mon ami,* merci ! »

Désinvolte, il enchaînait :

« Excusez-moi, Evita, il faut que je téléphone. J'irai en Sologne après-demain. Ce soir... »

Gonzague, qui reculait vers la porte, dressa l'oreille.

« ...Ce soir, je vous emmène au théâtre.

— Au revoir, messieurs-dames ! » dit Gonzague, en traînant d'une façon singulière sur le second mot.

Les Kerfaouet saluèrent du menton.

*
* *

Le lendemain, à peu près à la même heure, Gonzague, attablé devant une pile de soucoupes et penché sur *Paris-Presse*, édition de midi, relisait pour la dixième fois la rubrique des faits divers. A vrai dire, il ne relisait pas le texte, il le récitait par cœur, car il n'y voyait plus très clair :

TROP HONNÊTE ! — En l'absence de M. et de Mme de Kerfaouet, un inconnu s'est introduit cette nuit dans leur appartement de l'avenue Henri-Martin et a fait main basse sur des bijoux de grande valeur. Il a également dérobé une certaine somme d'argent que M. de Kerfaouet venait de déposer dans un tiroir de son secrétaire.

Chose curieuse : le portefeuille qui contenait cette somme avait été perdu le matin même place d'Italie et rapporté par un jeune homme qui avait refusé toute récompense et s'était retiré sans donner son nom. Le commissaire Tumagne, chargé de l'enquête, émet des doutes sur la sincérité de cet acte de probité, qui pourrait bien avoir servi de prétexte à l'examen des lieux...

« Ce n'est pas vrai ! » gronda Gonzague, indigné par le scepticisme du commissaire.

Mais son huitième Pernod, couleur de jeune feuille, développait en lui une végétation fragile de vertus. L'ivresse, comme d'habitude, au lieu de dédoubler les objets, lui dédoublait l'âme. Il baissa le nez en lisant la dernière phrase :

... On recherche activement cet honnête homme qui ouvre la porte aux malfaiteurs.

« Bertrand, une tomate ! » cria Gonzague, pour s'ouvrir, provisoirement, la porte de l'honnêteté.

LA POISON

LE père Lormel, dit *Myco*, était petit et chauve comme un cèpe : son crâne, nu jusqu'aux oreilles, ignorait le chapeau et avait depuis longtemps pris la teinte fauve du bolet. La peau de son visage, jaune, piquetée de roux, un peu squameuse, et le léger goitre qui lui renflait le cou accentuaient la ressemblance. Sa démarche avait quelque chose de mou, de clandestin. Il posait le pied sur l'humus d'une façon particulière, sans froisser les feuilles sèches ni briser la moindre brindille.

Le vieux avait passé toute la journée au plus profond de la forêt, là où elle se resserre et s'étouffe, là où l'ombre décourage la pervenche et le hibou lui-même. Il avait erré, guidé par la forme de certains troncs, par l'épaisseur et la qualité de la mousse, par de subtiles odeurs ; il s'était attardé en des points, pour lui seul précis, de ce domaine commun aux renards, aux botanistes et aux braconniers. Il revenait, la musette pleine, décrivait des cercles, croisait, recroisait sa piste. Autour de lui, maintenant, hêtres et bouleaux s'espaçaient, s'étoffaient. La rigueur verticale des grands arbres cédait à la nonchalance horizontale des fourrés, propices aux rendez-vous, et des demi-clairières, propices aux coups de feu.

Soudain, il s'arrêta et tendit l'oreille. Ce léger
bruit, sur sa gauche... Non, il ne s'agissait point du
friselis du vent dans les feuilles, ni du sautillement
d'un traquet, ni d'une fuite de musaraigne. Myco
connaissait bien la malhabile prudence des amou-
reux, leur manie de se tapir dans les rares endroits
secs où les trahissent de menus craquements de bois
mort. Son infaillible coup d'œil repéra le buisson, le
seul buisson convenable, et sut distinguer, à travers
les branches, un bout de sarrau bleu, un morceau de
velours côtelé.

« La Julie... encore ! murmura-t-il. Et avec un
autre ! »

Il sourit, puis fronça les sourcils :

« Ils sont à moins de cent mètres de mes pleurotes. »

Myco s'éloigna, évita un autre couple, un poseur de
collets, un garnement pilleur d'avelines. Il savait tout
voir sans être vu. Bien qu'il distribuât le plus souvent
le contenu de son sac, il gardait jalousement le secret
de « ses places ». Il gardait aussi celui de ses rencon-
tres : autre variété de champignons jaillie de l'ombre
humide, variété peut-être moins vénéneuse que la
citrine, mais qui eût fait vomir les cancans des
commères.

Une demi-heure plus tard, les espadrilles effilo-
chées du vieux offraient leur corde au goudron de la
grand-route. Son pas, toujours souple et discret, n'y
laissait point de trace. Il allait, ne pensant à rien, la
chemise ouverte sur son goitre, son pantalon effrangé
lui tirebouchonnant sur les jambes. Il allait, le soleil
dans le dos, précédé par son ombre et suivi par le
parfum moite de sa récolte. A deux kilomètres en
contrebas, les maisons du village se pelotonnaient les
unes contre les autres. Très loin dans l'azur, les
cheminées étiraient des fumées rectilignes et les
vaches meuglaient doucement en se rapprochant des
barrières. Les colchiques mauves encombraient les
fossés. Mais l'intérêt de Myco s'éveilla seulement

devant un tas de crottin qui fumait au milieu du macadam.

« La bonne marchandise gâchée ! Voilà pourtant de quoi faire pousser un demi-cent de coprins. »

L'angélus tinta sur trois cloches, dont l'une était fêlée, et les corneilles quittèrent les gargouilles pour s'éparpiller dans un ciel encombré de petits nuages qui avaient la douceur agressive et rose de l'ouate thermogène. Rappelé à la notion de l'heure, Myco repartit vivement, dévala la pente, traversa le ruisseau au pont de l'écluse, s'engagea bientôt dans la grande rue et commença par résister aux avances de son « frère de communion », le cafetier Athanase, qui lui criait du fond de son bistrot :

« Viens par ici, empoisonneur ! Je te paie un canon !

— Tu empoisonnes les gens plus sûrement que moi », répondit-il sans s'arrêter.

Mais, trente mètres plus loin, la femme du premier adjoint, l'Augustine, qui revenait du lavoir, mit sa brouette ruisselante en travers de la chaussée.

« Père Myco, j'ai tué un lapin, ce midi. Je glisserais bien quelques « rosés » dans la sauce. »

Le bonhomme s'arrêta, se frotta le crâne : c'était sa façon de saluer.

« Des rosés !... protesta-t-il. Pourquoi pas des champignons de couche ? Adressez-vous à la champignonnière. »

Pourtant, il délaça les cordons de son sac tandis qu'il resservait la profession de foi qui lui avait valu son surnom :

« Je ne suis pas un ramasseur, moi ! Je suis un mycologue.

— Alors... des girolles ? quémanda l'Augustine.

— Ce n'est plus la saison. Tenez, voici des psalliotes, des russules, des clavaires... ».

Le père Lormel disait des russules et non des « verts », des clavaires et non des « cornes de cerf », des psalliotes et non des « boules de neige ». Ce faune connaissait par cœur son *Petit Atlas illustré des champignons de France* — toujours en évidence sur son buffet, à côté du livre de cuisine — et il tenait beaucoup à prononcer devant les profanes les noms scientifiques. Le sac ouvert, sa récolte s'étalait maintenant sur le trottoir, inquiétante et multicolore. L'Augustine, que venaient de rejoindre deux ou trois passants, hochait la tête :

« Si vous vous trompiez, père Myco !

— Je ne me trompe jamais. »

Comme il aimait alarmer son monde, le vieux ajouta :

« D'ailleurs, les champignons ressemblent aux péchés : pour les déguster, il faut prendre ses risques. »

L'Augustine choisit quelques inoffensifs mousserons et quatre grosses « tête de nègre » où les limaces avaient creusé de blanches logettes.

« Ce que les bêtes mangent est toujours bon, dit-elle sentencieusement. Elles ont l'instinct. »

Myco s'éloigna sans relever cette erreur notoire, mais se laissa accrocher au premier tournant, oublia l'heure, déballa, remballa, redéballa sa marchandise. C'était son triomphe quotidien.

« Où trouvez-vous tout ça, père Myco ? demandait le vétérinaire qui, à ses heures, hantait les futaies, mais n'en ramenait jamais grand-chose.

— Un peu partout, mon gars ! Un peu partout dans mes bois. »

Il jubilait, pérorait, expliquait pour la centième fois ce qui permet de distinguer la fausse de la véritable golmelle, défendait les lactaires contre des préjugés tenaces :

« Ce n'est pas vrai. Les espèces qui rendent du lait quand on les casse ne sont pas forcément dangereuses. »

Cependant il distribuait à pleines mains sa récolte, jouissait des hésitations, des convoitises et surtout de

la confiance inspirée par dix ans d'infaillibilité.
Comme toujours, il ne lui restait presque rien quand
la Bertine, sa voisine, lui toucha le bras :

« Dépêchez-vous, père Myco. Céleste commence à
brailler. »

Alors sa joie et sa malice le quittèrent d'un seul
coup. Ses épaules se voûtèrent, ses yeux cessèrent de
pétiller, sa langue se retira derrière ses derniers
chicots.

« Demain..., bredouilla-t-il, je... vous apporterai...
vous verrez... des helvelles. »

Il galopait déjà, poursuivi par les regards et les
quolibets :

« Un pauvre type, le Myco ! Un cornard ! Un file-
doux ! S'il n'avait pas sa forêt...

— Il en crèverait, résuma le vétérinaire, rageur. Il
en crèverait ! Mais faut avouer qu'il sait des choses et
qu'il ne se trompe jamais. »

*
* *

Le père Lormel s'était trompé au moins une fois
dans sa vie : le jour où il avait convolé avec Céleste.
La mort de sa première femme, le mariage de sa fille,
l'insuffisance de sa petite retraite d'employé des
chemins de fer l'avaient contraint à cette union avec
la forte veuve de son cousin Béchut, le « tambouri-
neur ». De quinze ans sa cadette, Céleste, on pouvait
le dire, menait son second époux à la baguette.

Du premier jour, le couple avait vécu sur le pied de
guerre. Myco, cependant, ne s'était pas plaint de son
sort tant que la quinquagénaire avait conservé quelque charme aux yeux des valets de ferme. Mais,
depuis des mois, Céleste n'avait plus rien à se faire
pardonner et son haleine, constamment parfumée à
l'eau-de-vie de prunelle, soufflait l'incendie. L'existence devenait intenable et, dès potronminet, Myco
filait en forêt. Mais ce refuge même était menacé : la

vieille, sous couleur d'économie, ne s'était-elle pas
récemment mis en tête d'exploiter les connaissances
du père Lormel et de l'envoyer, lui, ce dilettante, ce
presque savant, «chemiser les coudes» et «larder de
blanc» le fumier de la champignonnière récemment
installée dans une carrière désaffectée des environs !

« Quelle honte ! J'aimerais mieux mendier, confiait
Myco à ses intimes, c'est-à-dire à tout le village. »

Ce soir-là, l'accueil de Céleste fut particulièrement
chaleureux. Tous les voisins purent entendre ses cris.
Elle ne consentit à s'apaiser qu'à bout de souffle, à
court d'injures.

« Ta soupe est froide ! jeta-t-elle enfin. Tant
pis pour toi ! Je ne rallume pas le feu pour les traî-
nards. »

Myco s'assit, résigné, et plongea sa cuillère dans le
bouillon figé, tandis que sa femme récurait hargneu-
sement ses casseroles. Le crissement de la brique
pilée lui agaçait les gencives. Il observait la mégère
du coin de l'œil, sans aménité. « Elle a de bien vilains
cheveux : on dirait du lichen mort. Et quelles oreilles ! Sales, violacées, spongieuses comme les moril-
les. »

« Qu'est-ce que tu rapportes, Lormel ? reprit soudain Céleste, qui n'appelait jamais son mari Myco et
ne daignait pas se souvenir de son prénom : Philomen.

— Pas grand-chose, avoua le vieux. L'Augustine et
l'Adrienne...

— ...t'ont tout raflé, évidemment ! Tu gardes pour
nous ce dont personne ne veut. Tu finiras par nous
envoyer au cimetière. En ce qui te concerne, ce ne
serait pas une perte, mais je ne tiens pas à aller
m'allonger à côté de toi. »

Céleste exagérait : d'ordinaire, elle reconnaissait
les compétences du bonhomme. Mais elle voulait en
finir.

« J'en ai assez, siffla-t-elle. La vie devient trop

chère. Puisque tu n'es bon qu'à ça, tu iras travailler à la champignonnière. »

Myco étouffa d'indignation :

« Je t'ai déjà dit que j'étais...

— Oui, je sais, tu es un my-co-lo-gue ! Eh bien, tu feras ton mycologue le dimanche. J'ai vu le patron : il est d'accord. Cette fois, j'exige que... »

Céleste, lancée, vociféra un nouveau quart d'heure. Le vieux, tassé sur lui-même et grignotant une dernière croûte, en avait entendu bien d'autres.

« On verra, conclut-il faiblement.

— C'est tout vu ! hurla Céleste. Je ne nourris plus, je ne loge plus un feignant ! La baraque m'appartient. Si tu tiens tant à ta forêt, tu n'as qu'à y coucher. Tu m'obéiras ou je te fiche dehors. Pour commencer, voilà ce que j'en fais de ta mycologie ! »

Myco, inquiet, osa lever le nez, mais ne put s'interposer à temps. Céleste saisissait, brandissait, mettait en pièces le *Petit Atlas illustré* et ce cahier d'écolier où Myco, de sa grosse écriture appliquée, consignait des observations qu'il estimait, candidement, scientifiques.

« Céleste ! Mes travaux !... »

L'enragée, ricana, lui jeta au nez les débris. Alors le vieux se leva, tout pâle. Une lueur singulière s'alluma dans ses yeux de biche, tandis que la peau de son crâne, sous l'afflux du sang, prenait la teinte sombre du bolet satan.

« Tu ne vas pas en faire une congestion ? » railla Céleste.

Myco pâlissait maintenant. Son crâne tournait au jaune verdâtre du bolet amer. Il se rassit, ferma longuement les yeux, sembla réfléchir. Puis soudain, d'une voix froide, nette, très différente de son habituel chevrotement, il capitula :

« Bon, Céleste. Je commencerai lundi prochain. »

Et, soigneusement, il se mit à ramasser les bouts de papier.

*
* *

Le lendemain matin, dès l'aurore, le vieux se tira du lit aux trois quarts occupé par la grosse Céleste, enfila ses hardes, jeta son sac sur l'épaule.

« C'est cela ! fit sa femme entre deux bâillements. Profite de ton reste !

— Profite du tien, ma grosse ! » répondit le bonhomme avec un singulier accent.

Une petite pluie fine d'automne délavait le sulfate des treilles, remplissait méthodiquement les ornières, interdisait aux mouches de déplier le cellophane de leurs ailes. Myco ne parut pas s'en soucier, ne daigna même pas troquer ses espadrilles contre des bottillons. Il était déjà trempé quand il atteignit les bois déserts où les gouttes, tombant des plus hautes branches, venaient crépiter sur les feuilles mortes.

Contrairement à son habitude, Myco ne musa point, mais fonça tout droit vers un endroit précis de la forêt. A peine jeta-t-il un coup d'œil, en passant, à une colonie de gluants volvaires aussi répugnants qu'inoffensifs. Quatre amanites tue-mouches, cramoisies, criblées de petites taches blanches, le retinrent une seconde. Il repartit en murmurant :

« Insuffisant !... Insuffisant !... »

Au bout d'une heure, Myco parvint enfin à la hêtraie rouge, capitale des solitaires. Il ruisselait. Une feuille de chêne réduite au filigrane de ses nervures s'était collée sur son crâne. Le vieux, les mains en avant, tâtant les troncs lisses et luisants où s'étalait le chancre des parmélies, fit encore quelques pas, distingua dans l'ombre des taches claires, sifflota d'un air satisfait et s'assit sur l'humus, qui rendit un bruit mou d'éponge écrasée.

« Non, ce n'est pas ça... ».

Devant Myco, ajourées, enluminées, plus absurdes

que des poteries surréalistes, une demi-douzaine de
clathres étonnaient les cloportes. Une grappe gélatineuse d'hypholomes prospérait sur une racine pour-
rie.

« Voilà ! Voilà la talle ! » reprit-il, avançant d'un
mètre sans se relever, en se traînant sur le derrière
comme les chiens qui ont des vers.

Innocents, discrets, quatre champignons se ser-
raient au pied d'un baliveau. Leur pédicule jaillissait
d'un bulbe blanchâtre, s'ornait à mi-hauteur d'un
panneau membraneux, supportait avec peine une tête
ronde, d'un jaune anémique. Myco avança une main,
se retourna vivement.

« Qu'est-ce que c'est ? » cria-t-il.

Un sanglier roumait dans sa bauge, non loin de là.
La main de Myco, rassurée, s'allongea vers les champignons, les détacha, les glissa dans la poche du
veston.

« Tatatatatatac... tatac... tac ! protesta une épei-
chette qui forait une écorce.

— Ta gueule ! Je ne me trompe jamais », assura
Myco en essuyant instinctivement sa main sur sa
culotte.

Il sauta sur ses pieds, écrabouilla les clathres et,
courant d'une place à l'autre, se mit à zigzaguer dans
la forêt. Pillant ses réserves, il remplit d'abord son
sac. Puis, saisi d'une fureur sacrée, il se livra bientôt
à un véritable carnage. Les lièvres au gîte, les putois
affolés virent ce tendre — qui, la veille encore,
cueillait l'hydne bosselé avec des précautions d'amou-
reux dégrafant une pucelle — s'acharner sur la
moindre souchette, sur les vénérables « foies de
bœuf », sur ces précieuses petites oronges à peine
sorties de leur volve et qui ressemblent à des œufs
durs. Les insipides « vesses de loup » ne furent même
pas épargnées : elles pétaient sec sous le talon en
exhalant un peu de fumée noire. A midi, quand
Myco exténué regagna la route, il ne laissait derrière

lui que clairières dévastées, bouillies fibreuses, plâtras végétaux, ruines molles de son temple.

Il ne pleuvait plus et le vent s'était levé. Myco, la feuille toujours collée sur son crâne, s'assit sur un tas de cailloux, extirpa les champignons de sa poche, les éplucha, remit les morceaux dans la doublure et galopa jusque chez lui.

« Te voilà déjà ! maugréa sa femme en jetant un coup d'œil étonné du côté du sac. Je ne t'attendais pas avant ce soir. Je n'ai rien de prêt.

— Tu trouveras bien quelques œufs dans les pondoirs, répondit lentement le vieux. Moi, je vais t'éplucher des cèpes. »

Bougonne par principe, mais satisfaite de cette soumission, Céleste y consentit et s'en fut perquisitionner au poulailler, tandis que Myco portait la main à sa poche. Quand la vieille rentra, un appréciable tas de moignons mous, qui brunissait légèrement à l'air, s'accumulait sur la toile cirée.

« Avec une petite salade, proposa Myco, ce sera parfait. Je vais te préparer une scarole. »

Céleste s'étonna :

« Il n'y a pas à dire, quand on te secoue, tu deviens aimable ! J'ai été trop bonne avec toi. »

Le beurre grésilla bientôt dans la poêle. La fricassée embauma la cuisine, intéressant le chat qui vint frotter sa pelade contre les cottes de la vieille.

« Vas-tu filer, galeux !... Et toi, Lormel, qu'attends-tu pour mettre le couvert ? »

Myco se précipita sur les assiettes dépareillées, se réserva l'une d'entre elles (Le Loup et l'Agneau, vieux souvenir de son premier ménage), déplia le dessous-de-plat extensible et se laissa finalement tomber sur une chaise bancale qui vomissait sa paille. Céleste cassait les œufs, les battait puissamment dans un bol ébréché, les jetait dans un second poêlon, secouait ses mèches sales, retournait l'omelette, la partageait en deux d'un coup de fourchette, poussait les parts, d'ailleurs fort inégales, qui tombèrent, flasques, la grosse dans son assiette, la petite dans celle de Myco. Retournant au fourneau, elle en ramena la fricassée, brune et juteuse, la posa sur la table.

« Sers-toi, Lormel. Alors, quoi, t'as la tremblote ?

— Cette pluie..., bégaya Myco. J'ai dû prendre froid. »

Céleste ne s'en inquiéta pas, rafla les deux tiers des champignons et laissa le reste à son époux. Pesante, avachie, les seins et les coudes sur la table, la bouche ouverte et les molaires bruyantes, elle se mit à manger :

« ... Sont bons !

— C'est vrai, ma foi ! admit le père Lormel avec une nuance d'étonnement dans la voix.

— Tu ne prends pas de salade ?

— Tout compte fait, non. J'ai des aigreurs d'estomac.

— Des aigreurs ! répéta Céleste, étonnée sans doute que ce mot pût convenir à une autre qu'elle-même. La carrière te les passera. »

*
* *

Dans l'après-midi, Céleste s'en fut laver au ru. Myco ne sortit point et profita de l'absence de sa femme pour reconstituer patiemment son cahier, morceau par morceau. La réussite de ce puzzle lui coûta deux heures de travail, quelques centilitres de salive et un rouleau de papier gommé. Après quoi, le vieux rafistola tant bien que mal son *Petit Atlas* et mit un signet à la page 78. Enfin, il s'assit sur le coussin du chat, dans un coin, et attendit. Il se sentait bien. Trop bien. Si bien qu'il se surprit à dire tout haut :

« Je ne me trompe jamais pourtant. »

Le retour de sa femme le rassura. A cinq heures, la gaillarde arriva toute blanche, toute tremblante et traînant péniblement son panier à linge. Elle s'écroula sur une chaise, la mèche effarée, la lippe basse, et finit par balbutier :

« Lormel... tu n'as pas mal au ventre ?

— Moi ? Non..., répondit Myco, provisoirement sincère. Pourquoi ?

— Ah ! reprit la vieille avec soulagement. J'aime mieux ça ! »

Elle étendit le bras vers la bouteille qui trônait en permanence sur le coin du buffet et se servit un demi-verre de prunelle.

« Tu ferais bien d'aller te coucher, ma grosse », conseilla Myco.

Céleste, titubante, se dirigea vers sa chambre et, dès que le vieux entendit les ressorts du sommier, il se précipita sur son cahier et nota :

« *L'amanite panthère, c'est aussi bon que la méyeure oronge.* »

Torturé par la conscience professionnelle, Myco suça son porte-plume pendant trois minutes et, passant à la ligne, ajouta :

« *L'amanite, on dit qu'elle empoisonne les gens une demi-journée après qu'ils l'ont manger. Mais à ce que dit l'« Atlas », le vinaigre est un solvant du poison et en hâte les effets ; ça me semble vrai, vu que Céleste a manger beaucoup de salade et pas moi, qui ne suis pas encore malade.* »

Satisfait de ses lumières et même de son orthographe, Myco se renversa sur sa chaise et, sombrement hilare, sifflota discrètement :

> ...*La guenon, la poison,*
> *Elle est morte !*

Mais ce péan était nettement prématuré. De l'autre côté de la cloison, Céleste criait d'une voix encore très ferme :

« Lormel ! passe-moi la cuvette ! »

« Zut ! songea le vieux. Il aurait mieux valu qu'elle ne vomisse pas. » Cependant, il se précipita dans la chambre avec l'ustensile, que Céleste remplit en trois hoquets. « Gros tas ! Ce n'est quand même pas cela qui te tirera d'affaire ; l'amanite n'a jamais pardonné à personne. » Inquiet cependant, il maintenait la cuvette sous le nez de la victime. Le spectacle n'offrait rien de très agréable, hormis l'assurance de son dénouement. Toute cette viande molle, débordant autour des minces bretelles de la chemise, s'affalait comme à l'étal. Ecœuré par l'odeur, Myco blêmit.

« Tu... toi aussi... tu n'es pas malade, au moins ? » gémit Céleste, pour la première fois intéressée du sort de son époux.

Myco le crut un instant et un pâle sourire éclaira son visage. Mais son estomac se calmait déjà.

« Non, répliqua-t-il, agressif. Je vais très bien. »

Et il ajouta pour lui seul, en emportant la cuvette : « Je n'y comprends rien ! »

Une heure passa, puis deux. La mère Lormel se tordait dans son lit, les deux mains crispées sur son ventre, sacrait, injuriait ou implorait son mari, tour à tour. Celui-ci ne l'écoutait guère. Il avait vidé son sac sur la table de la cuisine, rangé ses champignons par ordre de grosseur et composé une étrange rosace en forme de couronne mortuaire. Mais il ne ressentait toujours pas la plus petite douleur.

« Philomen ! » cria enfin la mère Lormel.

Myco, alerté par ce prénom inusité, tendit l'oreille et conclut que la vieille devait baisser.

« Philomen, je vais « passer », c'est sûr. Faut appeler le docteur !

— Penses-tu, ma grosse ! T'as la colique, c'est tout. »

Il voulait gagner du temps. Mais la Céleste se mit à brailler comme une femme en gésine. Les fenêtres des voisins s'ouvrirent : la plupart d'entre eux n'étaient pas encore couchés.

« Ça ne va pas chez vous ? cria la Bertine. Voulez-vous que j'aille chercher « Allons-bon » » ?

Myco fit la grimace, mais, ne pouvant décemment

pas refuser, acquiesça. Une demi-heure plus tard,
« Allons-bon », alias Chérel, le médecin du bourg,
arrivait, accompagné de la Bertine. C'était un vieil-
lard guilleret, indiscret, rondouillard, qui ne signait
jamais de longues ordonnances et rassurait les famil-
les jusqu'à l'heure de la mise en bière. Il se pencha
sur Céleste, pourpre et suante, lui rabattit sa chemise
sur le nez, pétrit longuement la peau généreuse qui
capitonnait le ventre et, enfonçant le pouce en plein
lard, lui arracha un cri.

« Allons bon ! dit-il, goguenard. Nous avons une
belle appendicite.

— Appen... pen... pendicite ? Vous êtes sûr ? »

Myco s'étranglait.

« Petite affaire ! » reprit Chérel, enfonçant sans le
savoir le fer dans la plaie.

Le vieux vacillait sur ses jambes, reculait peu à peu
vers la cuisine, fermait brusquement la porte.

La Bertine s'indigna :

« Ma parole ! Le père Myco devient maboul ! C'est
vrai qu'il a septante-cinq ans...

— Lormel a eu peur, gémit la malade. Il m'avait
ramené des champignons à midi ; il a dû croire qu'il
m'avait empoisonnée. Le drôle se moque bien de ma
carcasse mais il tient à sa réputation.

— A tout péché miséricorde ! plaisanta Chérel.
Mais, voyons, il faut nous organiser. Je vais télépho-
ner à l'ambulance : la mère Lormel doit être opérée
au plus tôt. Vous, la Bertine, gardez-la jusqu'à
l'arrivée de la voiture et, pour la soulager, faites-lui
des compresses froides. Quant au père Lormel, il sera
tout de même capable d'aller chercher de la glace
chez le boucher. »

Ce disant, le médecin tournait doucement le bouton de la porte, qui s'ouvrit sur une cuisine déserte,
jonchée de champignons à demi écrasés et mêlés aux
débris du cahier définitivement mis en pièces. Il
fronça les sourcils et reprit :

« Vous pourriez bien avoir raison, Bertine. Où est-il passé, cet animal-là ? »

*
* *

Myco, les paumes aux tempes, trottait vers l'écluse.

« Je connais tous les bons, marmonnait-il. Pour une fois que je m'adresse aux mauvais... »

Il n'acheva pas sa phrase et trébucha sur un trognon de chou.

« Je n'aurais pas dû, avoua-t-il en se redressant. Je n'aurais pas dû... »

Ce n'était pas à Céleste qu'il pensait. Il précisa, en arrivant au parapet :

« Je n'aurais pas dû saccager le bois. Ils ne m'avaient rien fait. Ils n'ont même pas voulu me rendre malade. Car, bien entendu... »

Un filet d'eau tombait de la vanne, offrant à la nuit un long bruit de soie déchirée.

« Car, bien entendu, c'est impossible, je ne me suis pas trompé ! » cria Myco avec une conviction farouche.

Il se penchait. Algues et roseaux s'entrelaçaient sous lui. Des centaines d'étoiles, petits champignons phosphorescents d'un autre monde, scintillaient dans ce liquide sous-bois. Myco étendit le bras et ce geste acheva de l'entraîner. Sa chute libéra la feuille toujours collée à son crâne et qui s'en alla, plus vite que lui, au fil du ru.

LES ÉVADÉS DE LA PENTECÔTE

Un ciel impitoyablement bleu coiffait la Centrale, un ciel tracassé d'hirondelles, un ciel irritant de printemps pour hommes libres. La lumière de la Pentecôte baignait ce mélange confus de bâtiments, de grilles, de guérites, d'uniformes kaki et de droguets bruns rapetassés, délavés, estampillés de matricules multicolores. Les hautes cheminées des ateliers ne crachaient pas une escarbille. On n'entendait pas le cliquetis familier des métiers du tissage pénitentiaire, ni le contremaître des filets de tank lancer son apostrophe favorite : « Alors quoi ! Les navets ne vous ont pas donné du cœur à la navette ? » Mais les terribles loisirs des dimanches de prison faisaient fleurir les *pelotes*.

« Mince de repos ! » murmura Crosne, qui faisait sa tournée quotidienne dans les bureaux de quartier et traversait rapidement le quadrilatère affecté à la première section d'inoccupés.

Il frissonnait, en se faufilant parmi la piétaille en sabots. Un certain dégoût, une lointaine pitié l'écœuraient : parvenu au plus haut grade que puisse ambitionner un détenu, Crosne, l'omnipotent Crosne, devant qui tremblaient les gardiens eux-mêmes, se souvenait à peine d'avoir été l'un de ces marcheurs affamés, l'un de ces *Inos I* qui tournaient inlassable-

ment autour de l'octogone des water-closets, horrible
édifice élevé au centre de la cour et formé de huit
logettes où les hommes, à tour de rôle, allaient
s'accroupir devant tout le monde.

« Doucement, Lamure ! » fit-il à voix basse, en
passant près du prévôt de cadence, qui aboyait à
pleins poumons.

Lamure ne l'entendit pas. Il beuglait trop haut :
« Gauche, droite ! Gauche, droite !... Gauche !...
Gauche !... »

D'ailleurs, Mariet, brigadier de division, amateur
de footing rapide, veillait au grain. Il se dandinait
lui-même en cadence, s'appuyant sur la cuisse gauche, puis sur la cuisse droite.

« Plus vite, Lamure ! grogna-t-il. Plus vite ou tu
n'auras pas la double. »

Le prévôt, hanté par les deux gamelles auxquelles
son office lui donnait droit, s'affola, s'emballa et son
« ochedroittttte-oche-droitttttte » suraigu parvint à
dominer le martèlement des sabots. Bras croisés, tête
basse, musette vide en bandoulière, squelettiques et
suant leur dernière sueur, les hommes allaient, à la
file indienne, dans l'ordre rituel : les militaires
d'abord arborant sur la manche le grand matricule
blanc, puis les condamnés de droit commun affligés
du matricule jaune, puis les politiques, c'est-à-dire les
communistes, enfin les détentionnaires reconnaissa-
bles à leurs parements noirs.

« Plus vite ! » vociféra Mariet, qui se dirigea vers les
bancs de pierre qui ceinturaient la cour et se mit à
houspiller les malades, dûment assis, en vertu de leur
« bon médical d'exempt de marche ».

Crosne, mal à l'aise, pressa le pas, franchit le poste
de garde et changea de section. Mais un gauche-
droite encore plus sévère l'attendait sur la cour des T.
F., bagnards réfugiés, récemment arrivés de Norman-
die. Là, les cadences parvenaient à la précision d'une
mécanique. Toutes les têtes, vissées sur cous raides,

s'engonçaient dans des vestes boutonnées au ras du menton et les talons, tombant d'une seule masse sur le sol, y polissaient une sorte de sentier rebouclé sur lui-même en forme de huit.

« Ça, c'est une pelote ! » s'enorgueillit *Métronome,* chef de quartier, dont l'index battait la mesure avec une grâce sèche.

Crosne admira. Le moins longtemps possible. Deux secondes plus tard, il s'était débarrassé de ses papiers et trottait vivement vers les grilles de communication. Il commença à respirer aux *Inos II,* chez les matricules verts, condamnés expédiés à la Centrale par les tribunaux allemands. Depuis quelques semaines, la surveillance y devenait bonasse et les gardiens n'y parlaient plus que de « promenade obligatoire ». Mais Crosne ne se sentit vraiment à son aise qu'en arrivant dans les services de travailleurs où les *couleurs* n'étaient plus séparées et où la discipline se relâchait tout à fait. Au milieu des cours, en partie encombrées de tas de charbon ou de sciure de bois, les hommes se parlaient à voix basse, adoptant l'allure molle des séminaristes en récréation. Un peu plus loin, au Service général, bâtiment réservé aux employés de confiance, Crosne put voir voler de bouche en bouche, de *touche* en *touche,* un mégot à peine clandestin.

Enfin, il parvint à la Cour des tilleuls et osa tirer de sa poche son paquet de gauloises... Toutes les sommités pénitentiaires étaient là : le magasinier, le *chiottard,* les bardeurs, le chef linger à manche décorée du V jaune, le bibliothécaire arborant son V vert, les comptables du greffe, de l'économat et des services, certifiés tels par le V rouge, le prévôt des cellules reconnaissable à son triangle bleu et, signalé à l'attention de tous par son double triangle pourpre, Camille *le balaise,* grand prévôt de discipline, seul détenu qui partageât avec Crosne, comptable général — plus brièvement : *le général* — le droit de

circuler partout à l'intérieur de l'enceinte. Tous
fumaient tranquillement, devisaient, jouaient aux
cartes, à peine lorgnés par les factionnaires de la
Porte-Deux, bien décidés à fermer les yeux sur ces
distractions prohibées. Ils n'étaient pas trente en
tout. Aucun d'eux n'était vraiment gras, mais aucun
non plus n'était vraiment maigre. Même à poil, on les
eût reconnus entre tous à la santé particulière de leur
teint, au rembourrage suffisant de leurs côtes.
Ceux-ci n'étaient point réduits à la demi-boule et à la
gamelle de carottes fourragères. Leurs cheveux, leurs
galoches, les revers insolents ajoutés à leurs vestes en
disaient long sur la faveur dont ils jouissaient auprès
du patron. Tous pourtant s'écartaient devant Crosne,
devant les trois ficelles d'or qui brillaient entre le
double galon de bonne conduite et le matricule blanc
numéro 2 061 de l'ex-adjudant Crosne, déserteur.
Quant à lui, résumé par ces ficelles et ne songeant
plus au matricule, il avançait, le menton haut,
l'épaule jetée en avant comme une étrave, important,
soignant son grade, distribuant des battements de
paupières à ses administrés.

« Qu'est-ce que c'est ? jeta-t-il au grand prévôt qui
l'attendait, agressif et triturant son calot.

— Général, gronda le géant, on a encore volé trois
boules de pain chez les verts.

— Ces héros... tu me la copieras ! » dit le déserteur.

Puis, s'apercevant qu'il venait de tutoyer Camille — ce qu'il ne faisait plus depuis sa nomination — il ajouta très vite, d'un ton cassant, en
hâtant le pas vers son bureau situé sur l'esplanade
même :

« Venez jusque chez moi, prévôt. »

*
* *

« Ça tombe mal ! » grommela une voix, derrière lui.

A cheval sur les troncs de hêtre destinés à la
fabrication des sabots et que l'administration entre-

posait sur cette Cour des tilleuls qui eût plutôt mérité le nom de Cour des grumes, Bellin, comptable Inos II, donc *vert,* jouait au piquet avec Laruel, autre vert, adjoint de Crosne et chargé du récapitulatif de cantine.

« Ça tombe mal, répéta-t-il. J'allais lui proposer la nomination de Sommil. Il va y avoir une vacance au greffe et nous avons besoin d'un homme là-bas, pour nous renseigner. »

Laruel ne répondit pas tout de suite. Il battait péniblement les cartes, trop molles, dessinées sur des morceaux de cartoline à dossiers. Enfin, il décolla son mégot et murmura en récupérant soigneusement quelques bribes gluantes de tabac :

« Ce sera difficile. Crosne trouve déjà que nous nous infiltrons beaucoup trop. A toi de donner... »

Bellin ramassa les cartes, servit nerveusement. L'entente, entre couleurs, c'était le problème numéro un. Un problème presque insoluble, Bellin ne l'ignorait pas. Quand les verts avaient commencé à être dirigés sur la Centrale, ils avaient trouvé toutes les bonnes places prises par les jaunes et les blancs qui, après tout, étaient chez eux et qui connaissaient le boulot. Quelles ruses, quelle irritante diplomatie il avait fallu déployer auprès de Crosne, cramponné à son titre, incorruptible à sa façon, mais par bonheur sensible aux flagorneries !... Le général avait fini par *recommander* la nomination de quelques camarades, mais Bellin n'était pas dupe de son patriotisme à retardement. Crosne avait favorisé une certaine colonisation des verts pour se couvrir et surtout pour avoir le plaisir de commander à d'horripilants « héros ». Maintenant il devenait réticent, il craignait pour son propre poste...

« Maldonne, j'ai une carte de trop, annonça Laruel.

— Allons voir Crosne, fit soudain Bellin. Tu travailles avec lui, tu pourras plus facilement que moi le décider. »

Ils n'eurent que vingt pas à faire : Crosne et Camille ressortaient du bureau.

«Oui, braillait encore le prévôt, ces oiseaux-là se croient tout permis et, quand je les prends sur le fait, je ne peux même pas les cabosser comme de vulgaires Inos I. La peau de ces messieurs est sacrée ! Cette fois, si je trouve le type...

— Méfie-toi, coupa le général, et fais-lui plutôt foutre un rapport soigné. »

Pour l'édification de Bellin et de Laruel, parvenus à trois mètres de lui, Crosne ajouta très haut :

«C'est tout de même un peu fort de constater qu'il y ait autant de piqueurs aux Inos II que dans un vulgaire quartier de droit commun ! »

Bellin ne s'émut pas.

«Vous savez bien, Crosne, répondit-il à la canto- nade, que nous sommes nous-mêmes très mélangés et que la faim encanaille les meilleurs.

— Alors, riposta Crosne, faites votre police, puis- que, par déférence, nous ne nous mêlons pas de vos affaires. »

Laruel intervint :

«C'est ce que nous avons décidé. Le coupable est connu, mais nous ne le livrerons pas. Il remboursera six boules, au lieu de trois, ce qui le forcera à jeûner toute une semaine. En cas de récidive, nous l'enver- rons nous-mêmes au prétoire... Cependant, nous ne venons pas vous voir à ce sujet. Il va y avoir une vacance au greffe. Sommil, des Inos II, ferait parfai- tement l'affaire, puisqu'il était secrétaire dans le civil. »

Crosne ferma un œil. Le candidat de son cœur était Pellouas, un militaire, un ancien marsouin condamné à sept ans pour voies de fait envers un supérieur.

«Pourquoi ne vous adressez-vous pas au sous-direc- teur ? fit-il évasivement.

— Voyons, Crosne, tout le monde sait bien que le *Soudi* nomme ceux que vous lui désignez ! »

Le général sourit, avantageux.

« C'est à voir », conclut-il.

Mais un nouveau vert s'approchait :

« Général, dit-il sans préambule, le *maton* de veille a flanqué un rapport à Jourin : il beuglait dans sa cage à poules le *Chant des partisans*. Peux-tu faire sauter ça ?

— Peux-tu... ? Peux-tu... ? répéta Crosne, excédé. Vous êtes bien tous les mêmes ! Général par-ci, général par-là !... Et derrière mon dos, vous dites : « Après tout, ce Crosne est un déserteur, une sorte de traître !... » Jourin est communiste, et les communistes je ne m'en occupe jamais : c'est trop chaud. Le Soudi ne peut pas les encaisser.

Bellin se redressa, un peu solennel, un peu ridicule, très officier-supérieur-qui-y-va-de-son-laïus :

« Crosne, vous êtes tout de même un militaire. Le hasard nous permet parfois de servir. Tâchez d'arrêter le rapport avant qu'il n'ait été mis dans la boîte.

— Bon, bon, je verrai, répéta l'autre, d'une voix plus dense.

— Je te rase, général ? »

Crosne se retourna très vite, heureux de cette diversion : Armel, coiffeur-détenus (excessivement aimable depuis qu'il ambitionnait le poste de coiffeur-salon, c'est-à-dire de figaro du personnel) installait son fauteuil ambulant sous un tilleul. Le dimanche était le jour réservé aux employés. Le savon en poudre moussait déjà dans la cuvette d'émail ébréchée. En trois coups de blaireau, Crosne fut barbouillé et le rasoir se mit à voltiger d'une oreille à l'autre. Les verts s'étaient éloignés.

« Général, murmura discrètement le coiffeur, Pellouas te prie d'accepter ce paquet de cigarettes, qu'il a pu faire venir par...

— Je ne veux pas le savoir, fit Crosne, empochant les gauloises.

— Il me charge aussi de te dire que pour la place du greffe...

— Je sais, je sais !... Mais qu'y a-t-il, là-bas ? »

Au fond de la cour, près de la Porte-Deux, régnait soudain une animation inaccoutumée. Des imprécations commencèrent à fuser.

« Encore une bagarre ! bougonna Crosne. Depuis qu'on mélange les torchons et les serviettes, on ne peut plus être cinq minutes tranquille. Ces idiots-là finiront par se faire appliquer le règlement dans toute sa splendeur. Ils ne savent pas ce que c'est !

— Ce n'est pas une bagarre, général. »

Du groupe venait de jaillir un képi : celui de Caillivat, un des meilleurs gardiens de la Centrale, bien connu pour ses sympathies à l'égard des verts et des « politiques ». L'homme traversa rapidement la cour et parvint à la hauteur de Crosne : il était visiblement ému. Il bégayait :

« Il y a ... il y a un camion allemand à la Porte-Un.

— Hein ! rugit le général, en sautant sur ses pieds. Vous voulez dire : une voiture.

— Non, un camion. Un camion bâché, avec douze hommes commandés par un feldwebel. Ils montent au greffe. »

Camion bâché... greffe... toute la prison savait ce que cela voulait dire. Crosne s'étrangla :

« Mais... c'est la Pentecôte ! On ne... on ne... un jour de fête... On ne... »

Le mot « fusiller » ne passait pas. Tous les employés, blancs, jaunes, verts, s'interpellaient, refluaient vers la Porte de la Détention, entouraient Crosne et Caillivat.

« Dispersez-vous ! hurla celui-ci. Je n'ai rien dit ! »

Il passa sous la voûte, d'où pendait la longue corde de la cloche d'appel et se jeta dans le poste de garde. Déjà la nouvelle rasait les murs, se faufilait entre les grilles, tombait des fenêtres, s'enroulait autour des éternelles pelotes.

*
* *

Aux Inos I, Brachut, prévôt communiste, était précisément *de gueule*. Un autre prévôt s'approcha de lui, chuchota quelques mots et le gauche-droite s'enraya. Les hommes stoppèrent, étonnés.

« Prévôt, miaula Mariet, sur ce ton particulier qui lui valait le surnom classique de « La panthère », prévôt, je vous ferai déclasser ! »

Mais le prévôt traversait les files, s'insinuait jusqu'au chef, glissait une phrase dans l'oreille hérissée de poil rude. « La panthère » perdit de sa superbe, toussa, se tassa, jeta un coup d'œil effaré à Sagain, surveillant-second, et à Dermeil, surveillant-troisième.

« Fais-les rentrer, fit prudemment l'un d'eux.

— A vos matricules ! Un tour pour rien ! Gauche, droite ! Gauche, droite !... Alors, les malades, vous vous grouillez ? »

Mais le ton n'y était plus. Mariet reprit plus doucement :

« Allons, les gars, chacun à son numéro. Passez sous les voûtes. »

Et la colonne s'ébranla, le 6 457 à un pas du 6 458, lui-même suivi à un pas par le 6 459. Debout près de la porte du quartier, Mariet inspectait les files avec une gêne croissante. Non, il ne s'agissait pas d'interroger aujourd'hui les bosses des musettes, ni de renifler l'haleine des fumeurs clandestins. (« La panthère » s'appelait aussi « Souffle-moi-dans-le-nez ») L'heure n'était pas à la fouille. Du moins, Mariet ne fouillait-il que sa conscience de garde-chiourme, *contraint* de surveiller cette bande étrange où se coudoyaient chevaux de retour, distributeurs de tracts, bavards de la ronéo, spécialistes du V, escrocs notoires, abonnés du coups-et-blessures. Lequel ou lesquels d'entre eux, dans deux heures ?... Celui-ci,

peut-être, un râleur, un métallo qui lui était redevable de quinze jours de cellule pour refus d'obéissance
et qui maintenant, en passant, le forçait à baisser les
yeux ? Ou celui-là, un gamin de vingt ans, qui
falsifiait si bien les bons d'exempt de marche ? Ou
cet autre ?... Ou cet autre ?... Mariet se sentait brusquement odieux. Bien sûr, dans quelques jours, il
oublierait cet instant : il exigerait la soumission et ne
tolérerait plus la moindre entorse au règlement, d'où
qu'elle vînt. Les petits principes submergent toujours
les grands.

« Fichu métier ! Ce qu'ils nous font faire, les
salauds ! »

La peur lui fournissait de la générosité. Il avait
soudain grand pitié de tout le monde et notamment
de lui-même. « Fichu métier ! » répéta-t-il cinq ou six
fois, avant de crier machinalement aux hommes
rangés par travées de cinq sur les petits bancs :

« Assis ! Silence ! Face en avant ! »

Nul ne l'écoutait plus. Mariet ravala sa salive,
croisa les bras, ne daigna plus entendre ces froisse-
ments, ces bourdonnements insolites. Des douzaines
de bouts de crayon sortaient des doublures, griffon-
naient en toute hâte sur du papier hygiénique la lettre
qui serait peut-être la dernière et qu'un copain
passerait en douce. « Une chance sur deux cents pour
que ce soit moi ! » murmuraient les communistes,
« matricules jaunes, moralement verts », tous inscrits
sur les listes de représailles. « Nous, on ne craint
rien », murmuraient les autres, les véritables droit
commun, avec un mélange de pitié, de soulagement et
de honte.

*
* *

Aux Inos II l'angoisse était pire : là, tout le monde
était dans le coup. Les Allemands choisissaient volontiers parmi leurs prisonniers et les fusillades servaient
de prélude aux transferts massifs outre-Rhin.

Partout ailleurs régnait la panique froide. «Combien? Qui? Est-ce sûr?» se demandaient les surveillants, de porte en porte. Ils ne seraient officiellement informés qu'à la dernière minute, car l'Administration se méfiait de la plupart d'entre eux. Mais toute rumeur de ce genre suffisait à les bouleverser : le spectre du coup de chien ou seulement des «manifestations inopportunes» les hantait, les incitait à prendre, sous de dolents prétextes, les précautions d'usage. Les grilles se fermaient, toutes les cours se vidaient. Chanu, premier brigadier de service, refoulait tous les employés. «Triste, répétait-il, vraiment triste! Montrons-nous calmes et dignes, mes enfants!» Chanu n'oubliait pas qu'il avait été tenu responsable d'un commencement de sédition et que cet incident lui avait coûté ses galons de commis-greffier.

Crosne lui-même et ses deux adjoints, Laruel et Saulnais, avaient dû regagner le bureau de la comptabilité générale. Ils fumaient nerveusement, tressaillant dès qu'un pas raclait les dalles du couloir.

«On prétend, disait Saulnais, que les Allemands tirent au sort le nom des fusillés. C'est curieux : leur hasard désigne toujours des verts ou des «politiques» importants!

— Ta gueule! murmura Crosne. Regarde donc Laruel...»

Laruel, qui figurait sur les listes d'otages, était blanc.

«Dans mon tiroir, fit-il péniblement, j'ai préparé...

— Bien sûr, mon vieux, bien sûr!» reprit Crosne, avec une humilité bourrue.

Alors, Laruel, crânant de son mieux, ouvrit les répertoires : l'alphabétique et le matriculaire. Penché sur ses gros livres, il se mit à tourner les pages, à proposer des noms. De-ci de-là, figuraient déjà de grands traits rouges, accompagnés en marge du T redoutable : le T du grand transfert, car l'Administration, pudique, *transférait* ses clients entre les mains allemandes et ne voulait pas savoir ce qu'en faisaient celles-ci, même si, par bon vent, le bruit des salves parvenait jusqu'aux cours.

*
* *

Mais voici un commis-greffier. Raide et muet, il vient d'atteindre la grande voûte et pénètre dans le bureau du général. Crosne et ses adjoints, toujours penchés sur les répertoires, se redressent d'un seul coup. Laruel devient écarlate. L'Ange de la mort a une figure toute ronde, un ventre bien tendu, des épaules inégales. Il s'agit de Savenas, un de ces neutres, un de ces pleutres pour qui toutes les consignes sont bonnes et qui restent anonymes comme les dents d'un pignon. Une tristesse huileuse, un lubrifiant de circonstance semble l'oindre. D'un coup d'œil, il consulte le tableau d'effectifs qui indique : « Centrale, 1021, Annexes forestières, 147. » Sans doute fait-il une rapide soustraction mentale. Puis, il se dégage la luette, crachote, annonce d'une voix très mince :

« Quatre transferts immédiats.

— Mais pourquoi ? proteste le général. Pourquoi un jour de fête ?

— Un train de munitions a sauté hier soir sur le viaduc. »

Savenas n'en mène pas large. Quelle corvée ! Les Autorités d'occupation (car Savenas pense « Autorités » et ce titre lui suffit) devraient se charger de ces détails et non pas attendre qu'on leur amène leurs victimes comme un propriétaire qui exige ses redevances. Mais il faut établir la paperasserie : la paperasserie se fout du tragique. Le greffe doit obligatoirement passer par la comptabilité générale qui tient registre de toutes les mutations et qui, seule, peut arrêter le compte du pécule, le compte de

cantine, après avoir consulté les derniers relevés. On
ne peut pas laisser fusiller un homme avant de savoir
si c'est bien la somme de douze francs soixante-
quinze qui doit lui être versée à titre de solde
créditeur et sans lui avoir fait signer l'inventaire
complet de ses hardes personnelles qui lui seront
remises comme à un libéré, naphtaline et mites en
sus. Il faut aussi que le transféré rende ses effets
pénitentiaires, du calot de bure au mouchoir à car-
reaux, dont la valeur lui sera retenue si, par mégarde,
il l'a perdu. Il faut enfin qu'il écrive sa lettre, faveur
non prévue par le règlement, mais que l'Administration accorde à tout hasard, quitte à censurer le texte,
si « on » le lui conseille fermement. En un mot, il faut
que le greffe se mette en règle avec sa conscience qui
aime les formules : les formules imprimées, évidemment, les formules numéro tant et tant, qui dégagent
les scrupules. Avant que ne prenne fin la vie d'un
homme, d'une manière qu'elle ne veut pas connaître
et dont elle ne se sent pas responsable, l'Administration entend que prenne fin, le plus légalement du
monde, sa vie pénitentiaire, la seule qu'elle ait prise
en charge, la seule qu'elle doive rendre intacte, telle
qu'elle l'a reçue.

« Voici les bulletins », reprend Savenas.

Il s'agit de quatre bouts de papier gris, de quatre
bulletins du bon vieux temps qui portent l'en-tête
rituel : Liberté-Egalité-Fraternité. L'Etat français est
pauvre : il épuise le stock de la Troisième. Crosne
prend les bulletins, lit le premier et dit entre ses
dents :

« Voilà un rapport qui va sauter sans que je m'en
mêle !

— Jourin ! » s'exclament immédiatement ses adjoints.

Crosne, qui n'ose décidément pas prononcer
les noms, reprend avec un tremblement dans la
voix :

« Le chef linger ! Mais c'est un authentique droit commun ! »

Saulnais le regarde d'un air effaré et ne reprend sa respiration qu'en entendant Savenas murmurer cette explication :

« Oui, mais Oppenheimer est juif.

— Ploud... Ploud... continue le général, qui peut prononcer ce « Ploud » parce qu'il ne connaît pas l'homme. Regarde l'alphabétique, Saulnais.

— C'est un gamin du P. M., explique aussitôt l'adjoint. Il n'a pas vingt ans et, en principe, il est libérable dans huit jours. Leur tirage au sort, décidément... »

Saulnais n'achève pas sa phrase. Crosne, qui considère le quatrième bulletin, vient d'éclater. L'étonnant vocabulaire invectif de la Centrale passe tout entier par ses lèvres. Enfin le nom tombe de sa bouche :

— Bellin !

— Ah ! les salauds ! »

Savenas, qui s'associe mollement à l'indignation collective, la laisse s'épancher, puis intervient bureaucratiquement :

« Préparez les papiers, général, mais n'avertissez pas les services. Le... la... enfin, la chose n'a lieu qu'après le déjeuner, paraît-il.

— Oui, je vois ! Tous ces affamés n'auront pas faim, à midi. »

Savenas bat en retraite, ouvre la porte, passe dans la galerie, ferme soigneusement, évite de faire le moindre bruit. Mais soudain le revoici, ferme et discret comme un croque-mort :

« Pas un mot, hein ! Pas un mot ! Ni aux détenus, ni aux gardiens. Au dernier moment, les transférés seront conduits au quartier cellulaire, un par un. La direction ne veut pas que se reproduisent les incidents de la dernière... hum ! de la dernière fois. Vous comprenez, ces chants, c'est très beau, mais cela pourrait *les* indisposer. A tout à l'heure : je remonte au greffe. D'ici là, si l'on vous interroge, soutenez qu'il s'agit d'un véritable transfert. »

La porte se referme définitivement. Laruel lâche d'effroyables jurons.

« Ferme-la ! » hurle Crosne, sans même se rendre compte qu'il abandonne le vouvoiement.

Il s'est croisé les bras et se tient planté au milieu de la pièce. Sur son visage quelque chose vient de s'effacer ou, plutôt, quelque chose vient d'être remplacé : la ruse cède à la gravité. *Le hasard permet parfois de servir...*

« Que fait-on, général ?

— Rien. Restez ici. C'est moi que ça regarde. »

Crosne se penche de nouveau sur les répertoires, saisit le crayon rouge, raye les noms de Ploud, matricule 3 642, de Jourin, matricule 6 394, d'Oppenheimer, matricule 6 598. Il hésite un instant, puis dans la marge inscrit cet inattendu — et séditieux — M. P. L. F. : le M. P. L. F. des listes gravées sur le socle des monuments aux morts. Il ne peut rien pour ceux-là. Rien que cet hommage. Enfin il prend un dossier, n'importe lequel, pour se donner une contenance de comptable général dans l'exercice de ses fonctions ; il le glisse sous son aisselle gauche et met la main sur le bouton de la porte. Laruel s'étonne :

« Tu as oublié de rayer le nom de Bellin. »

Crosne n'a pas dû entendre. Il se retourne et dit, très froid :

« Pour le greffe, bien entendu, ce sera Sommil. Nous leur devons bien ça. Quant aux Inos II, ils choisiront eux-mêmes le remplaçant de Bellin. Laruel, tu feras une note dans ce sens pour la sous-direction. »

*
* *

Maintenant, Crosne arrive au poste de garde, l'air dégagé. Caillivat se précipite vers lui.

« Vous avez les noms ? »

Le général hausse les épaules.

« Il s'agit d'un véritable transfert, assure-t-il. Ce n'était pas la peine de s'affoler.... Mais je ne viens pas pour ça. Un commis-greffier vient m'apporter un mot du Soudi, qui veut tirer au clair, immédiatement, l'affaire des boules de pain volées. Il refuse tout arrangement. Allez me chercher Bellin : nous sommes attendus au magasin.

— Mais le magasin est fermé, le dimanche !

— Justement. Le Soudi en profite pour enquêter seul. Et surtout, motus ! »

On ne saurait mettre en doute les propos d'un comptable général réputé intraitable sur la consigne. Caillivat jette son mousqueton sur son épaule : le magasin est situé au-delà de la première enceinte, que nul comptable n'a le droit de franchir sans être accompagné d'un gardien en armes.

Tandis que le gardien va chercher Bellin, Crosne se mêle aux autres factionnaires, qui recommencent à blaguer et à jouer, soulagés. Une minute, deux minutes, trois minutes... Dieu merci, le standard téléphonique ne grésille pas. La méfiance même de la direction la perdra. Le chef de poste ne se doute de rien et abat ses atouts avec conviction. Crosne voit tomber une dame de pique et sourit.

« Belote ! » murmure-t-il, en même temps que ce petit brigadier corse, qui perd du poil par le nez et par les oreilles.

Quatre minutes. Enfin voici Bellin, flanqué de Caillivat.

« Vous ne croyez pas, fait le comptable, très rogue, que cette histoire pouvait attendre. Je vous ai déjà dit que la communauté remboursait...

— Ordre du sous-directeur, riposte Crosne, sèchement. Allons-y. »

Par bonheur, pour gagner le magasin, il est inutile de passer par la Porte-Deux : le trio ne risque pas d'éveiller l'attention de quelque commis-greffier. Le petit groupe enfile les galeries, traverse les cuisines, parvient à la poterne du chemin de ronde. Crosne hâte le pas, continue à se composer un visage sévère : il est indispensable que cette sévérité donne le change à Caillivat et surtout à Bellin qui, derrière son dos, débite d'aigres appréciations. « Mon colonel, songe Crosne qui n'ignore pas les fonctions secrètes de Bellin, mon colonel, en fait de ruses de guerre je vous en remontrerai ! » Il jubile, en jetant au factionnaire de la guérite 3 un magnifique : « Salut, Valbrèche ! » Voici la buanderie, déjà hors de l'enceinte. « Salut, Marmontel ! » répète le général en passant devant la guérite 4. Tout va bien. Trois minutes, qu'on lui donne encore trois minutes et Bellin s'en tirera. Le séchoir est dépassé, puis la boulangerie pénitentiaire. Enfin voilà le magasin : l'affaire est dans le sac. Mais le magasin est fermé : Caillivat s'étonne.

« Le Soudi m'a demandé de l'attendre dans la courette de déchargement », précise Crosne.

Les trois hommes s'y engagent. Là, personne, strictement personne ne peut les voir. Les jardins, désertés le dimanche, s'étendent devant eux. À trente mètres se dresse la seconde enceinte : mur de principe, relativement facile à franchir. Crosne s'arrête, fait face.

« Les gars, dit-il, nous n'avons pas une seconde à perdre. Les Allemands sont bien venus chercher quatre hommes, pour les fusiller. Ce sont Ploud, Oppenheimer et Jourin... Le quatrième, le seul que je pouvais sortir de la détention est un comptable. Tu m'as compris, Bellin ? »

Caillivat fait un mouvement. Mais déjà Crosne a saisi son mousqueton.

« Pas de blagues, Caillivat ! Je connais un type qui ravitaille les onze matons qui ont gagné les bois, plutôt que de continuer leur service pour le compte des Fritz. Le temps des demi-mesures est passé... »

Bellin semble hésiter. Il bégaie faiblement :

« Excusez-moi...

— Le temps des politesses n'est pas venu, reprend rudement Crosne. Devant nous, il n'y a plus que la seconde enceinte : on la franchit aisément en grimpant sur le petit toit de la porcherie qui est accotée au mur et actuellement désaffectée, faute d'eaux grasses. »

Caillivat roule des yeux blancs. Bellin hésite toujours.

« Colonel, fait Crosne avec une sombre ironie, jusqu'à ce mur vous êtes encore mon inférieur. Colonel, le général Crosne vous ordonne de filer. Et un peu vite ! Nous perdons du temps. Allons, Caillivat ! Il est déjà trop tard pour tirer ton épingle du jeu. La taule se passera d'un douzième maton. Foutu pour foutu, mieux vaut te décider à rejoindre tes copains et à nous montrer le meilleur sentier. »

*
* *

Les sirènes hurlèrent trois fois, une demi-heure plus tard. Trois fois : ce qui signifie *évasion*. Puis, vers deux heures, tandis que les fugitifs parvenaient à une clairière parsemée d'anémones sauvages, des salves retentirent dans le lointain. Une... deux... trois...

« Quatre ! » rugit Crosne, en déchargeant le mousqueton de Caillivat, qu'il s'était attribué.

IL N'ARRIVE JAMAIS RIEN

DEUX formules peuvent résumer l'attitude, l'état d'âme et l'histoire de Marie Duvalle, embossée ce matin-là — comme tous les autres matins — derrière la fenêtre de la salle à manger ou, plus exactement, derrière le rideau de gauche, légèrement relevé. Pour tout le monde, Marie Duvalle n'attendait rien, sauf le laitier.

A son avis, au contraire, Marie attendait tout, sauf le laitier, car on attend seulement ce qu'on espère, c'est-à-dire ce dont on doute, et Marie ne doutait pas un instant de la venue du laitier. Elle attendait tout, elle n'attendait rien, comme vous voudrez. En tout cas, elle reprisait des chaussettes.

« Neuf heures ! murmura-t-elle à son loulou, enroulé à ses pieds.

— Tu crois ? » répondit du fond de la pièce la voix molle du mari, affalé sur son fauteuil.

L'étroite Mme Duvalle saisit ses ciseaux par la pointe et, répétant un geste qui avait été une plaisanterie de jeune femme et qui n'était plus qu'un tic, les éleva à la hauteur de ses yeux, tel un face-à-main.

« Evidemment. Voici la femme de ménage de Sophie... et cette chipie qui vient ouvrir... Ah ! cette robe de chambre ! Il y a bien cinq ans qu'elle devrait s'en servir pour essuyer ses meubles. »

Ce disant, Marie reprenait son ouvrage, récupérait son œuf de bois qui venait de glisser entre ses genoux, dans cette espèce de pondoir formé par sa vieille robe brune. Marie entendait croire et faire croire qu'elle aimait le changement. Qu'elle fît peu de cas de l'apparence ne prouvait rien contre elle : Marie se savait, n'est-ce pas, si différente de ce qu'on la croyait, si trahie par la petite vie qu'elle avait accep- tée par devoir, par amour... heu ! enfin, par loyauté envers ce pauvre cher gros amateur de fauteuils, incapable de ci, de ça et de bien d'autres choses qui eussent fait son bonheur. Mais les manies de ses voisines, leurs conserves de mites, leurs airs effarou- chés l'agaçaient depuis toujours, et cette teigne de Sophie, avec ses clins d'yeux, ses « moi-vous-savez ! », ses prétentions ridicules, était particulièrement intolé- rable. Celle-là, oui, était bien ce qu'elle était et, si fade, si régulière, si soumise à son horaire, elle vivait bien la seule vie qu'elle pût vivre. Tandis que...

« Non, mais regarde-moi celui-là ! grogna Maurice Duvalle, qui venait de se soulever avec une conviction si puissante et si lente qu'il semblait remorquer le fauteuil, le parquet et toute la maison... Plinat sort sans chapeau, maintenant ? Un chapelier sans cha- peau et, qui plus est, un chapelier chauve sans chapeau, a-t-on jamais vu ça ? Quel crâne ! »

Le regard de Marie Duvalle — qui était gris — trotta menu derrière ce crâne jaune et dur comme une motte de beurre, pendant quelques secondes, puis revint bien vite se blottir dans le trou de son orbite, comme s'il avait quelque chose à craindre du regard de Maurice Duvalle, où luisait l'ironie bienveillante du matou gavé.

« Ce n'est pas toi qui oserais, bien sûr ! Et pourtant tu as encore des cheveux.

— Tss, tss ! » sifflota l'obèse, qui retomba sur son fauteuil, cédant à la pesanteur accumulée dans son pantalon.

Il avait encore des cheveux, en effet : ni noirs, ni blancs, ni même franchement gris, mais jaunâtres et clairsemés : les cheveux de tout le monde à soixante ans. Un tel homme eût été incapable d'exhiber une provocante calvitie, une perruque de neige ou une tignasse d'éphèbe ; un tel homme ne se singularisait pas. Il avait les cheveux de son caractère, des cheveux moyens, comme ses qualités, comme ses défauts... Un soupir traversa le grand nez de Mme Duvalle. Ses yeux roulèrent en direction du buffet Henri II, se mirent à tourner autour des colonnettes du fronton, ces petites quilles, souhaitèrent passionnément d'en culbuter la file. La vie commune est parfois une chose bien insipide... Un second soupir, passant cette fois par la bouche, fit vibrer deux lèvres enduites de pommade Rosa. In-si-pi-de, on ne le dirait jamais assez... Deux doigts se posèrent sur la pommade pour étouffer un bâillement, encore que Marie n'eût réellement aucune envie de bâiller et qu'elle fût entraînée à le faire la bouche fermée, comme il sied aux femmes discrètes et bien élevées.

« Voilà ! » fit-elle tout haut.

Marie prononçait ce mot trente fois par jour, sans contexte, en appuyant sur la seconde syllabe. Voilà, c'était fatiguant à force d'être insipide, mais c'était ainsi. C'était ainsi depuis toujours. Epoux de série. Parents de série. Destin de série. Quel ange gardien, se trompant d'adresse, l'avait fait naître d'un million, d'un milliard de couples et, plus précisément, par procuration, de ce couple anonyme qui s'appelait « papa et maman » ? Pourquoi, depuis lors, non seulement l'aventure, mais encore l'insolite et même l'inhabituel lui avaient-ils été épargnés ? Enfant, elle avait eu toutes les maladies courantes, de la coqueluche à la varicelle, mais n'avait attrapé ni le croup ni la scarlatine. Jeune fille, elle ne s'était point fait remarquer, elle avait été de celles dont on dit qu'elles ne sont « ni mieux ni moins bien qu'une autre », qui

sont le tout-venant du désir et qui finissent toujours
par se caser au bras de ce garçon innombrable qui se
contente du premier pétale de la marguerite, se méfie
du second, rit du troisième, mais évite généralement
le quatrième. Femme enfin, elle ne s'était distinguée
d'aucune façon, elle avait accouché dans les délais
prévus de deux filles, qui pesaient le poids prévu, qui
lui avaient fourni les satisfactions et les déceptions
prévues, qui prolongeraient bientôt auprès d'un
sous-chef de bureau ou d'un receveur de seconde
classe l'existence assurée... non, disons : imposée à
leur mère par le commis principal Maurice Duvalle,
admis depuis cinq ans à faire valoir ses droits à la
retraite. Voilà. Elle n'était pas, elle n'avait jamais été
malheureuse. Pas plus malheureuse qu'heureuse. Elle
était. Elle vivait, vouée au quelconque. Comme d'autres, qui ont toutefois la salive amère et qui répè-
tent : « C'est la fatalité ! » en savourant de grands
émois, Marie Duvalle répétait : « Voilà ! » en tournant la langue dans une bouche sèche. Sa fatalité à
elle n'employait pas la masse, mais le petit marteau
de bois de l'ouvrier planeur qui bat, qui bat sa feuille
de métal et l'aplatit, l'aplatit. Dans un sens, ce refus
du hasard de s'occuper d'elle, cette exception à une
loi qui fait intervenir en toute vie un certain pourcentage d'imprévu, c'était son hasard à elle : un hasard
négatif.

    « Le laitier est en retard ! fit-on du côté de la
fenêtre.

    — Le facteur aussi ! répondit le fauteuil.

    — Ah ! ces gens inexacts, je voudrais... »

Incapable de soulever sa graisse, Maurice souleva
tout de même une paupière et sa femme s'arrêta net.
Une fugitive intuition lui soufflait à l'oreille : « Il
faudrait *commencer* par être contente de ce retard. »
Puis Marie haussa les épaules, à sa manière, c'est-à-
dire en ébranlant à peine ses maigres clavicules.
L'intuition s'effilochait, cédait la place à la rêverie.

« Ce sont les grandes choses, songeait Marie, qui doivent éliminer les petites. De grandes choses. Enfin, des choses. Un brusque voyage, par exemple : voilà des années que le dix de carreau me l'annonce, chaque fois que cette Sophie me fait les cartes. Un voyage à Rome, pour l'Année sainte, ce serait une occasion, si Maurice voulait se laisser faire. » Faute de voyage, Marie accepterait fort bien un choc, voire un deuil, pour la dépayser. « *Pauvre Maurice*, osa-t-elle penser une seconde, s'il devait mourir avant moi, que ce soit au moins subitement ! » Puis Marie battit en retraite, ne désira plus qu'un accident, grave et spectaculaire. Moins grave que spectaculaire, bien entendu. Il n'était pas inacceptable qu'elle en fût elle-même la victime, à condition toutefois de n'être privée ni de ses yeux, ni de ses jambes, ni d'aucun organe essentiel. Il était absolument exclu que cet accident survînt aux petites... De ce côté-là, l'ineffable, l'inattendu, l'invraisemblable devaient être souhaités avec prudence, et l'imagination maternelle ne leur pouvait offrir que des miracles parfaits, des chances absolues. Et Marie rêvait, rêvait...

« Tss, tss ! » sifflotait l'obèse en l'observant.

Maurice, lui, ne rêvait pas. Il ne pensait pas non plus. Il se contentait de peser. Ce poids lui avait appris bien des choses et notamment qu'on ne se promène pas sans fatigue à travers l'exceptionnel. Il faut avoir vécu toute sa vie sur cette pente, comme les montagnards sur la leur, pour avoir le pied sûr. Cette sacrée Marie, qui rêvassait sur son ouvrage, était incorrigible. Pas de doute, elle attendait encore « son » hasard, dont elle parlait depuis trente ans. Comme si le hasard était une cause première, comme si sa mécanique n'était pas aussi précise — à la démultiplication près — que celle du banal. Des hasards, des changements, des émotions... Mais Marie en avait eu sa part ! Seulement ils ne lui étaient pas apparus tels.

Marie n'était jamais dans le mouvement. Elle n'embrayait jamais. Elle avait subi la guerre, par exemple : or ce cataclysme ne l'avait point tellement intéressée ni bousculée. La guerre, dans son souvenir, c'était une période de privations et de paperasseries plus désagréables que tragiques. Marie ne savait pas lever le nez. Tout passait trop haut au-dessus d'elle, qui regardait constamment la pointe de ses pieds et entendait cueillir l'aventure comme on cueille des violettes.

« Tss, tss ! sifflotait l'obèse, de plus en plus fort.

— Tais-toi donc, tu nous agaces ! »

Le loulou releva la tête une seconde pour participer au « nous », puis se rendormit. Le fil passait et repassait sur le talon de la chaussette, vingt fois reprisée, vingt fois torturée par le poids et la forte sueur de ce gros sédentaire. Marie passait, Marie tirait sa laine, sèchement, lardant l'œuf de coups d'aiguille. Ses lèvres s'allongeaient, bougeaient un peu, comme celles des enfants qui lisent péniblement et passionnément la dernière tarzanerie de l'*Epatant*. Elle lisait à l'intérieur de sa tête... Sa fille aînée, lasse de tapoter des relevés de comptes à la B.N.C.I., venait d'être élue Miss Angers, malgré quelques légères imperfections intimes que sa mère connaissait bien, et sa mère l'emmenait à Paris, — pourquoi pas ? — afin d'enlever le titre suivant, la chaperonnait à New York, assistait au triomphe de ses cuisses françaises devant le jury suprême. « Oh ! » fit tout haut l'honorable dame, scandalisée par sa propre imagination qui lui représentait sa progéniture évoluant en bikini devant les foules enthousiastes. Mais déjà une demi-douzaine d'impresarii se disputaient Ginette (prénom original, mode 1930) et Marie-Claire, sa sœur, faisait à son tour sa *nova* dans le ciel d'Hollywood, se réservait les gros plans et la romance sentimentale du nouveau succès de la Metro Goldwyn, tandis que Marie, nouvelle Laetitia, goûtait de sages et sublimes

revanches. « Mais c'est la fille de ma voisine ! » grinçait Sophie en reconnaissant la petite sur l'écran
local. Le professeur de chant en était pour sa courte
honte, lui qui avait osé dire : « N'insistez pas, votre
demoiselle a une voix de pruneau. » Gérante des
cachets astronomiques de l'une et l'autre étoiles,
Marie « leur mettait beaucoup d'argent sur leur
livret », autorisait quelques folies et libéralités, n'ex-
cédant pas dix pour cent... non, cinq pour cent de
leurs gains... offrait deux immenses billets de cinq
mille... non, un seul suffisait... un billet très long,
très digne, qu'elle remettait au curé, ce gratte-sous,
devant toutes les dames patronnesses écrasées sous le
poids de leurs chapeaux.

« Cesse donc ! »

Maurice qui tapotait, ran, ran, rataplan, une marche militaire sur le bras du fauteuil, souleva sa lourde
et courte main, fit mine de considérer sa chevalière
profondément enfoncée entre deux bourrelets de
chair et se mit en fait à observer plus attentivement
sa femme, à travers ses doigts. Il souriait, lui rendant
pitié pour pitié. Marie poétisait maintenant, Marie
était en train de bêler à la lune, de passer sur les
bobos de son cœur de l'onguent miton mitaine. Elle
n'aimait pas être dérangée quand ses longs pieds
quittaient la terre, quand sa bouche allongée en cul
de poule semblait prête à lâcher des bulles de savon...
Un peu fantaisiste et bien énervante, la bourgeoise !
Mais si bourgeoise, précisément, si brave, si bonne et
même si bobonne ! Qu'elle rêvât ! Dans cinq minutes
se réveillerait cette ménagère, un peu rêche, mais qui
n'avait pas son égale pour ranger une armoire ou
réussir un brochet au beurre blanc. Et Maurice
continuait à sourire, imperturbable, et son sourire
s'étalait, pli par pli, menton sur menton, épanoui
comme une joubarbe.

« Le voilà ! »
— Le facteur... Tu crois ?

— Mais non, le laitier. Je me fiche bien de ton journal. »

Un tam-tam de bidons cahotés, un trot court s'arrêtant devant chaque porche et secouant des grelots rouillés annonçaient le laitier qui, par sur-croît, nasillait éperdument de la corne. Marie se leva ou plutôt déplia ses membres secs, soigneusement, comme le menuisier déplie son mètre de bois aux articulations fragiles. Suivie du trottinement lourd de son époux et du trottinement léger de son chien, elle passa dans le vestibule pour offrir au laitier sa bouilloire et ses observations :

« Un litre et demi, comme d'habitude... Vous avez presque une heure de retard... Si j'avais encore des enfants en bas âge qui attendent leur biberon...

— ... Attendissent », rectifia le retraité qui appré-ciait les imparfaits du subjonctif.

Marie ne répondit pas. Craignant le faux col, elle surveillait la mesure d'étain qui se renversa trois fois dans la bouilloire. Récupérant l'ustensile, elle con-trôla le niveau du lait, s'assura qu'il affleurait bien certaine raie sournoise tracée sur l'aluminium pour lui servir de repère. Alors seulement, elle remercia d'un coup de tête et d'un sourire bref qui rendit plus aigus les angles dessinés par l'entrecroisement de ses rides.

Enfin, tandis que le laitier réembouchait sa trompe et passait à la maison suivante, Marie s'éloigna vers la cuisine en tenant la bouilloire à deux mains.

« Eh bien, qu'attends-tu ? dit-elle sans se retourner. Ferme la porte, tu vas laisser sortir le chien.

— Le voilà ! » fit à son tour l'obèse.

A chacun ses bruits. Maurice, qui n'avait pas daigné entendre le tintamarre du laitier, reconnaissait le pas du facteur et, poussant jusqu'à la grille, tendait la main vers son journal.

« Regarde en page trois si nous avons gagné ! lui

cria sa femme, qui maniait déjà les robinets du fourneau à gaz.

— Il y a aussi une lettre », observa le facteur en touchant du bout de l'index la visière fendillée de son képi.

Puis la maison redevint silencieuse. Maurice avait regagné son fauteuil, déployé *Le Petit Courrier*. Le loulou mordillait ses puces. Marie surveillait son lait du coin de l'œil, en épluchant des carottes. Les feuilles s'entassaient sur la table et la ménagère songeait, amère : « Avant la guerre, on vendait les carottes équeutées. Maintenant les commerçants nous font payer les fanes au poids du légume. » Cependant ces fanes l'intéressaient. Longues et divisées, elles ressemblaient à certaines fougères. Aux fougères des sous-bois. Des sous-bois exotiques. Exotiques. Tic, tac... Taquinant la pendule, le rêve écossait les minutes. Le coin de l'œil oubliait ses devoirs, le couteau évoluait dans l'air, inutile, saisi d'un profond respect envers les fanes... Le lait passa par-dessus bord.

*
* *

« Marie ! » cria Maurice, se jetant soudain à travers la fumée.

Mme Duvalle, rouge et branlant un chignon vexé, venait de tourner le bouton, soufflait sur la peau du lait, empoignait la lavette.

« Et alors, grinça-t-elle, le lait s'est sauvé, ce n'est pas un drame !

— Oh ! Marie... il est bien question de ça ! »

L'émotion étranglait le retraité. Son lard tressautait ; cette barde semblait vouloir se débarrasser de la ceinture et de la cravate, se déficeler d'autour ce gros chapon.

« On a... na... gaga... », bégaya-t-il.

Un éclair sale traversa la pièce : Marie jetait sa lavette sur l'évier, se retournait, électrique, effarée :

« ... gné ?... gné ! acheva-t-elle, sur deux tons, le premier sceptique, le second foudroyé.

— ... gné ! confirma l'obèse, pesant de tout son poids sur cette stupéfiante syllabe.

— Ah ! » fit encore Marie, qui employait beaucoup l'interjection et qui, cette fois, l'expira bien à fond, avant de renifler un bon coup d'air roussi.

Ses talons oscillaient ; une douleur aiguë lui tortura le gros orteil gauche, comme si la chance tombait sur son cor, récemment écrasé par un fer à repasser. « 1 207 843 », se récitait-elle. « On me l'avait bien dit : il faut choisir un numéro dont aucun chiffre ne soit répété. » Elle se rengorgeait, toute fière d'avoir aidé le hasard, considérant son mari avec indulgence et les carottes avec tendresse.

« Cinq cent cinquante mille, précisa Maurice.

— Seulement ! » reprit Marie.

Et aussitôt, d'une voix plus âpre :

« Cinq cent cinquante mille... Mais ce n'est pas un compte ! »

Elle secoua la tête si fortement que son chignon se dénoua. Son postiche faillit tomber en même temps que son enthousiasme.

« Tu as bien lu le journal, au moins ? Ne me fais pas d'émotions inutiles. »

Mais l'obèse brandissait sa lettre :

« Qui te parle de la Loterie ? C'est notre titre de capitalisation qui vient de sortir. La Séquanaise m'avertit officiellement.

— Ah ! » fit Marie pour la seconde fois.

L'exclamation, toutefois, ne vida plus que la moitié de ses bronches. « Une chance sur six mille », expliquait Maurice, important. Une chance sur six mille, sans doute, c'était agréable, mais ce n'était plus grandiose comme la chance sur cent mille de la Loterie. Un tirage de la Séquanaise n'a lieu qu'entre souscripteurs, entre gens qui ont des droits précis et surtout celui de participer au miracle des lots.

c'est-à-dire aux bénéfices de la compagnie. Nouvelle démonstration du destin : un miracle presque garanti par contrat, tel était bien le seul genre de prodige qui pût être réservé à une Marie Duvalle, exclue du catastrophique comme du merveilleux.

« Ma parole, tu n'as pas l'air contente ! grogna Maurice, scandalisé.

— Mais si, mais si, fit Marie. Je ne suis plus d'âge à sauter au plafond.

— Cinq cent cinquante mille, alors que nous n'avons pas versé vingt-cinq mille francs, insista Maurice. Cinq cent cinquante mille francs, d'un seul coup, sur la table... »

Le regard de Marie s'anima :

« Sur la table ? Tu crois que l'inspecteur viendra nous verser la somme en espèces... Mon Dieu, c'est vrai, je n'en ai jamais tant vu !

— Quel enfantillage ! Quand je dis « sur la table », c'est une façon de parler. En fait, la compagnie nous enverra un chèque.

— Un chèque... », répéta Marie, du bout des lèvres.

Ce n'était pas la même chose. Cinq cent cinquante billets de mille peuvent tapisser toute une chambre. Le chèque de la compagnie ferait tout juste une petite tache claire sur le bureau de Maurice. Décidément, ce miracle n'était qu'une aubaine. Et encore ! Pas si extraordinaire que ça. Car enfin ce titre au porteur, destiné aux enfants, était souscrit depuis deux ans. Depuis deux ans, les Duvalle avaient payé vingt-quatre primes mensuelles ; ils étaient passés vingt-quatre fois à côté de la chance. La vraie chance eût été de gagner au lendemain de la signature du contrat. Quand le hasard, pendant une vie entière, vous a mis à l'index, une telle compensation a quelque chose d'incomplet, comme le petit legs laissé par un oncle dont on pouvait espérer tout l'héritage. Marie n'allait pas pour si peu entonner un Te Deum, ni danser la gigue ! Marie n'était pas de la race de

Maurice, ce gros réjoui qui bégayait d'allégresse et semblait au bord de la congestion. Son air vainqueur, le frémissement de sa grosse patte qui tenait toujours la lettre d'avis, son piétinement sourd l'excédaient. Que chantait-il encore ?

« Cette fois, pas d'hésitation : je t'offre le voyage de Rome. »

Marie esquissa un sourire, pour le remercier de l'intention, mais ce sourire valait une moue :

« La saison est bien avancée. »

Elle n'avait plus envie de ce voyage, maintenant trop possible. Plaisir dévolu, plaisir révolu. Et puis quoi ! Il gâchait tout, ce grand R rouge qui surcharge les tickets de retour. Avaler une ration d'espace, jouer les touristes, du Colisée au château Saint-Ange, la belle affaire ! Le moindre film documentaire offrait mieux, en lui épargnant toute gratitude, en lui permettant de ne point entendre Maurice s'exclamer à tout bout de champ : « Je t'ai emmenée à Rome, cette année. C'est une trotte ! » Réflexion faite, mieux valait s'abstenir : il n'y aurait pas de départ en ce voyage, pas d'exil, pas d'exode, pas d'exaltation.

« Quant à la salle à manger, reprenait Maurice, toujours engageant, tu peux maintenant t'en défaire. Je t'offre du moderne, du...

— ... garanti pour longtemps ! » compléta Marie, d'une voix résignée.

Déjà, elle reprenait ses carottes, les grattait, les débitait en rondelles, les jetait dans une casserole. Elle attendit cinq minutes et, quand l'eau commença à frémir, abandonna le fourneau, fit un pas vers l'évier, changea d'avis et regagna la salle à manger.

« Les meubles de famille... », commença-t-elle en considérant d'un air attendri les petites colonnes du fronton Henri II.

Son regard gris les caressait une par une. Combien

de fois Marie les avait-elle fait briller, en imprimant
à la flanelle enduite de cire naturelle un rapide
mouvement de va-et-vient !

« ... Ce sont des meubles qu'on garde, acheva-t-elle
sans plus se soucier d'expliquer ses contradictions.

— Comme tu voudras ! » grommela Maurice,
agacé, en réintégrant son fauteuil.

Le gros homme ne cachait pas son mécontente-
ment. Son plaisir s'affadissait, se figeait. Au bout du
compte, il ne se sentait pas plus riche, mais plus
lourd, comme s'il avait trop mangé. La chance, en
cette maison, devait être indigeste. Chez lui, Maurice,
elle tournerait en graisse. Chez Marie, elle ne saurait
entretenir que des aigreurs. La main sur l'estomac, cette dyspeptique se réinstallait, elle aussi, à
sa place et reprenait souffle en inspectant la rue
déserte.

« C'est curieux, bougonna l'obèse. Tu me rappelles
un camarade de guerre. Quand le régiment ne bougeait pas, il voulait toujours attaquer. Mais, dès que
nous en avions reçu l'ordre, il braillait que l'objectif
n'en valait pas la peine.

— Je t'en prie, pas de commentaires ! »

Un coup de talon ponctua l'interruption. Marie
était devenue très rouge et ses prunelles évitaient de
rencontrer celles de son mari. Ce Maurice avait
odieusement raison ! Elle n'avait jamais été qu'une
rêveuse inerte, une insatisfaite complaisamment installée dans l'insatisfaction. Sa vie n'avait peut-être
pas été si banale, si dénuée d'originalité qu'elle
voulait bien le dire. C'était elle, Marie, qui avait été
absente de cette vie et non l'exceptionnel. Campée
derrière son rideau, elle avait vécu une vie de rideau.
Ah ! (soupir, à travers le nez), elle tenait à sa tringle, à
ses anneaux, à ses habitudes ! Ah ! (soupir, à travers
la pommade Rosa), cinquante-cinq ans, cinquante-
cinq anneaux, nul n'y pouvait plus rien !

Par bonheur, la main de Marie toucha l'œuf de

bois, l'empoigna, le serra, puis se détendit, se radou-
cit. L'œuf était tiède, lisse, rassurant, et Marie était
ce qu'elle était. Marie faisait ce qu'elle pouvait.
Marie ne serait pas assez sotte pour s'accuser plus
longtemps, pour endosser les responsabilités d'un
époux trop gras, d'un sort trop maigre. D'ailleurs,
qu'attendait-elle pour reprendre l'aiguille ?

L'œuf de bois glissa dans une nouvelle chaussette
et Marie se mit à croiser, à recroiser son fil de laine,
son fil d'idées. Ce Maurice était insupportable.
Aucun homme ne trouait tant de chaussettes en
faisant si peu de pas. Aucun homme n'avait moins de
jugement sous tant de lard. Des meubles neufs ? Pour
quoi faire ? Avec ces placages modernes, on ne sait
jamais à quoi s'en tenir. Quand on est privé d'avenir,
on ne se prive pas de souvenirs. On ne se prive pas
non plus d'un prétexte à récriminations. Enfin la
fantaisie est une chose et la gestion d'une fortune en
est une autre.

« Combien rapportent cinq cent cinquante mille
francs ? »

La question, parallèle à un coup d'œil, fut vivement décochée. Loi somptuaire, la volonté de Mme
Duvalle saurait couper court à toute autre proposition de Maurice, ce généreux prêt à faire des folies
avec l'argent des siens. Conciliante, sa femme lui
permettrait sans doute d'acheter un nouveau costume, car le sien était vraiment fatigué et, de toute
façon, il aurait fallu faire cette dépense. Quant aux
filles, s'il était vraiment nécessaire de marquer le
coup, on leur offrirait un sac à main, le jour de leur
fête.

« Dans les... heu ! dans les trente mille... », répondit
Maurice, émergeant d'un long calcul mental.

Soucieux de rentrer en grâce, il avait gonflé le
chiffre, qui fit glisser sur l'une des prunelles grises la
taie d'une paupière. Marie réfléchit.

« Je vois, reprit-elle. En somme, nous récupérons

une partie du mois double que tu as perdu depuis ta
retraite.

— Ma foi, oui ! admit l'obèse, qui continua brave-
ment : Je vais étudier ce remploi. »

Marie approuva du menton. « Remploi » sonnait
bien. « Remploi » était raisonnable. Ce mot annexait
les cinq cent cinquante mille francs, les faisait entrer
dans le patrimoine, expulsait le hasard.

« Je verrai, conclut Maurice.

— On verra », répéta Marie, un ton plus bas.

Futur inutile : ils étaient tout à fait d'accord. Ils
se sourirent enfin, de ce sourire usé qui se croit
désabusé et qui donne une patine aux visages médio-
cres. « Si j'étais seul... », songeait l'un. « Si j'étais
seule... », songeait l'autre. Mais il leur semblait super-
flu de développer l'hypothèse : seuls, Marie ou Maurice auraient agi de la même façon. Le « si » était à
peine une réticence ; c'était une sorte d'explétif, une
excuse.

« Voilà ! » dit encore Marie.

MÈRE-MICHEL

FRISE, reléché, suave, comme sa pochette, le poil bien trié, bien tiré sur la nuque, Michel Lemaire, bedeau et secrétaire de mairie, boitillait dans la poussière chaude de la route.

Une curieuse allégresse précipitait son pouls, s'étendait, se ramifiait dans ses veines. Il l'avait bien eue, la mère Julie ! Son tympan vibrait encore des laudes qu'elle lui avait chantées : « Mon bon Michel, si je ne vous avais pas ! Si les malheureux du bourg ne vous avaient pas ! » Le bancal revoyait ces yeux rongés par la blépharite, ces yeux juteux d'où dégoulinait une répugnante gratitude. Certes non, ce n'était pas pour jouir de cette reconnaissance qu'il avait, apparemment confus d'une si petite charité, aplati sur la table un billet de trois cents francs — du reste fourni par la caisse de secours de la commune. La mère Julie avait horreur des rats. Elle le lui avait confié lors de son dernier passage : « Ces bêtes-là, *mon Mère-Michel*, ça me retourne. Quand j'avais mes jambes, je pouvais me réfugier sur la table. Maintenant, dès que j'entends chicoter, je deviens folle. » Eh bien elle l'avait, son rat : elle l'avait pour trois cents francs ! Pourrait-elle se douter que son visiteur — lui, si délicat, si propret — avait tendu des pièges durant un mois pour se procurer le rat, qu'il avait eu le courage de glisser dans sa poche avant de le laisser tomber dans la ruelle du lit... Elle hurlerait, la vieille, elle ameuterait tout le quartier, elle trouverait peut-être un reste de vigueur pour se hisser, haletante, sur sa table. Rien de meilleur que ces émotions pour guérir les paralytiques.

« Bien joué ! » murmure le bancal, en boitant plus vite.

Michel détestait Julie. D'abord parce qu'elle ne marchait plus : cette infirmité lui rappelait insolemment la sienne. Ensuite parce qu'elle lui cornait souvent aux oreilles ce surnom de *Mère-Michel*, sobriquet facile, tiré de son patronyme et popularisé par tous les vauriens du village, à cause des chats. Enfin, il la détestait parce qu'elle était une femme. Michel abhorrait toutes les femmes : elles appartenaient à un sexe qu'il convenait de persécuter puisqu'il n'avait pas voulu de lui. D'ailleurs il détestait le genre humain, embranchement privilégié du règne animal, et tout ce règne animal encore qu'il appartînt à la Société protectrice des Animaux, au bénéfice des chats. Seuls, en effet, les chats trouvaient grâce devant lui. Du chat, il avait lui-même le caractère renfermé, l'allure honnête et la secrète hargne. Comme les chats, il savait rentrer la griffe, cacher ses méfaits, se frotter à tous les coins de porte. Du maire au curé, de la crémière au boulanger, nul qui ne le tînt pour inoffensif, qui ne fût assuré de sa complaisance et de sa bonne humeur ; nul qui ne lui fût redevable d'un sourire, d'un propos édifiant, d'un service, d'un petit cadeau. Ce malveillant soignait une réputation de bonhomie, voire de philanthropie. Pour mieux dire, la bonté était pour lui un prétexte, une coquetterie, une excuse, une compensation préalable offerte à celui qu'il entendait honorer de sa méchanceté. Pendant des semaines, parfois, Michel s'ingéniait à trouver la gentillesse qui l'autoriserait à jouer quelque tour pendable, à porter la dent là où il venait

de passer la langue. Michel connaissait son humanité,
Michel n'attendait de reconnaissance de personne et,
pour être plus sûr de ne conserver aucun obligé, se
payait lui-même, rétablissait secrètement l'équilibre.

Cependant, talonnant ferme, Michel remontait la
grande rue. Il venait de dépasser la maison du
jardinier Paulat, un bon ami dont il tenait bénévole-
ment les comptes, un camarade de classe qui jadis
courait si bien le cent mètres, un malchanceux dont
les laitues retenaient l'attention de tous les escargots
du pays. D'un rapide coup d'œil, jeté par-dessus la
haie, Michel constata les ravages et sourit. Il était
louable, il était providentiel que les animaux les plus
lents de la terre humiliassent un coureur. Autre
animal lent et qu'offusquait encore l'ancienne pointe
de vitesse de ce coureur, Michel sourit de plus belle. Il
savait que les escargots, plus facilement que les rats,
peuvent jaillir des poches d'un bancal... Le sourire,
soudain, explosa dans un éternuement. Ah ! ah ! Une
fois, les escargots étaient farcis. Oui, farcis. Il faut de
temps en temps donner sa chance à la bêtise
humaine. Où serait l'intérêt du jeu, si l'on ne
se créait parfois de petites difficultés, de petits
périls ? Farcis ! Mais Paulat n'avait pas compris la
farce.

Le sourire s'était émietté. Il reparut bientôt : des
fenêtres de la maison Huart, que Michel était en
train de longer, fusaient un bel assortiment d'invectives conjugales et les plus beaux cris que puisse rendre
une glotte de fille rossée. La jambe trop longue du
bedeau — car il s'agissait d'une jambe trop longue,
selon lui, et non d'une jambe trop courte — la jambe
trop longue hésita. Mais l'autre repartit aussitôt. Il
faut savoir s'effacer devant ses satisfactions. Michel
n'ignorait point pourquoi le torchon brûlait dans la
maison Huart ; Michel connaissait bien Marie Huart,
qu'il avait gâtée au temps des cartes de pain. D'ailleurs un secrétaire de mairie sait beaucoup de choses

et quand ce secrétaire de mairie a la réputation de ne jamais rien répéter parce qu'il ne répète effectivement rien — par la bouche —, quand il ne sollicite pas les confidences et se contente de les attirer en ayant l'air de les subir comme le miel subit ses mouches, c'est fou ce qu'une telle discrétion peut engluer de secrets.

Le secret de Marie Huart, pécheresse prudente, n'était pas à la merci de toutes les pies, mais il avait fini par tomber entre les pattes d'un corbeau. Sacré facteur, bien complaisant, qui distribue n'importe quoi, venu de n'importe qui ! Toujours souriant, toujours boitillant, « n'importe qui » éternua pour la seconde fois. Affaire classée. Marie Huart, rossée par procuration, paierait sa peau, cette peau lisse, cette peau lissée par d'autres, cette peau...

Mais Michel venait d'arriver chez lui et sa main ne put lisser que l'échine de son chat préféré, Blanc, eunuque énorme qui l'attendait le long de la grille, figé au garde-à-vous des chats, c'est-à-dire les quatre pattes soudées, étirées, perpendiculaires à la moustache, le dos rond, si rond qu'il simulait un havresac, et la queue dressée sur le tout en plumet de grenadier.

« Vous avez bien dormi, monsieur ? » s'enquit le bedeau, en lui grattant le cou avec déférence.

Un peu plus loin, dans le jardinet, Roux, Noir, Gris, Bleu, Tigré, déambulaient avec des mines d'ambassadeurs qui passent en revue des compagnies d'honneur et les troupes — salades, fraisiers — les regardaient passer, bien alignées, compactes, encore qu'un peu décimées par le ver blanc. Mais quoi ! Quelle était cette silhouette mince et nerveuse, quelle était cette efflanquée rôdeuse ?

« Pchhhu, pchhhhhuu ! » cracha Lemaire, indigné.

La chatte du voisin déboula, traversa en flèche un fragile carré de petits pois, arriva en une seconde à la murette et, des quatre griffes, narguant la pesanteur et le bedeau, coiffa la crête, disparut.

« Que vient-elle faire ici, messieurs ? » grognait encore Michel.

Une chatte n'avait rien à faire chez lui. Nulle femme, nulle chatte. Ses six chats étaient des chats coupés, qui ne se frottaient point à des galeuses. Ses chats étaient des chats de velours, secouant les pattes à chaque pas, miaulant leurs précieuses faims et leurs précieux besoins, des chats de race, des chats nobles, nés dans la société féline à un échelon bien plus élevé que lui, Michel Lemaire, dans la société humaine. Fort honoré de cette intimité et nourrissant des idées définitives sur la nécessité des classes sociales, le secrétaire de mairie les traitait poliment, les appelait « Messieurs », mais ne leur permettait point de s'encanailler.

Hostile, Michel s'approcha de la murette, examina le domaine de son voisin Rafoix. La chatte, réfugiée au sommet du pommier, ne craignait plus rien du bedcau et braquait sur lui le diaphragme ultra-rétréci de ses prunelles vertes. Deux ou trois hélianthes répliquaient au soleil du tac au tac. Des tomates brasillaient et les quatre ruches avaient l'air de fumer, tant il en sortait des abeilles. L'une d'elles, rayant l'air chaud à quelques centimètres du nez de Michel, vint s'abattre sur une touffe de mélisse. Sur *sa* mélisse.

« Tiens, tiens ! Je n'y avais pas pensé », murmura le philanthrope.

Les Six le virent s'éloigner vers la remise aux outils. Ils suivirent, le derrière haut, la queue droite. Mais déjà leur maître ressortait, brandissant ce soufflet d'horticulture qui lui servait à distribuer, selon les saisons, la fleur de soufre ou le D. D. T. C'était bien de D. D. T. qu'il s'agissait cette fois, bien que nul doryphore ne semblât menacer les pommes de terre. Michel pencha la tête de côté, considéra sa mélisse avec amitié, puis lui envoya soudain un petit nuage de poudre blanche. Il fit alors quatre pas. « Phh, phh », répéta le soufflet, poudrant à frimas une clématite chevelue. « Phh, phh » insista-t-il en s'intéressant à la pommette d'une rose. Michel longeait la murette, précédé par un brouillard sec qui se dispersait sur les moindres fleurs et tout particulièrement sur celles qui sont réputées mellifères. Luzerne, trèfle et mélilot seraient demain un cimetière d'abeilles... Oh ! Michel n'avait rien contre Rafoix, il avait toujours fait assaut avec lui de courtoisie mitoyenne : je te prête mon pulvérisateur et je te remercie bien de ton plant de chou ! Non, Rafoix ne lui avait rien fait, sauf quelque bien. Raison de plus : il lui ferait sans doute quelque mal, un de ces jours. Mieux vaut prévenir que guérir, prêter que rendre. Phh, phh, voilà pour les ruches.

Ainsi fraternisant, dédétisant, Michel arrivait au bout du jardin, de l'autre côté de la maison, sous les noisetiers qui bordaient le chemin vicinal et dont les gamins lui pillaient chaque année les noisettes. (Problème insoluble : Lemaire avait bien essayé de passer chaque noisette à la teinture d'aloès que le pharmacien vend aux rongeurs d'ongles, mais le travail était trop minutieux et le résultat incertain.) Là, dans l'ombre et la fraîcheur, venaient s'isoler ses chats. Un mètre de sable fin offrait à leur pudeur l'élément idéal pour fouir et enfouir. Roux, qui avait devancé son maître était précisément en train de s'efforcer, avec cette dignité solennelle qui n'appartient qu'à sa race. Les yeux fixes, il frémissait impatiemment du croupion, tandis que sa queue roulait et déroulait au-dessus de lui des points d'interrogation. Michel fronça un sourcil.

« Roux, fit-il sévèrement, si vous êtes constipé, vous n'avez aucune excuse. J'ai mis partout de l'herbe purgative.»

Roux bougea une oreille, se retourna, pour humer et ratisser, tandis que l'autre sourcil de Michel se contractait. L'assiette... On avait déplacé l'assiette, dans laquelle ses chats en promenade trouvaient toujours un petit en-cas. Le secrétaire en effet n'aimait guère laisser ses bêtes à la maison quand il était de service et leur servait dehors, dans cette assiette, quelque tranche de foie ou quelque tendre escalope, toutes viandes de choix bien cuites et coupées en petits morceaux, comme il convenait aux crocs des chats Lemaire, qui n'étaient pas de menus fauves intéressés par le mou sanguinolent. Que l'assiette fût tout à fait vide, cela pouvait se comprendre : les Six avaient un appétit de panthère. Mais qu'elle ne fût pas à sa place exacte, voilà qui était insolite. A un centimètre près, Michel savait où il mettait toute chose et l'assiette avait été déplacée d'au moins trois pas. En fait de pas, au surplus, il voyait bien les traces laissées sur le sable par une espadrille usée. Michel, homme convenable, ne portait jamais que des souliers. La pointure, au demeurant, était infé-rieure à la sienne. Du 38 au plus. Une pointure de femme : seule, une femme a le pied et le cerveau aussi mesquins. Cependant ces empreintes pouvaient aussi être celles d'un très petit homme et Rafoix était un très petit homme. Et Rafoix portait aussi des espadrilles. Et Rafoix avait une chatte que pouvait intéresser cette viande. Certes la chatte pouvait se servir elle-même, mais Rafoix, homme de peu de goût, avait encore un chien. Décidément Michel connaissait bien l'humanité, son intuition ne le trom-pait jamais. Tout à l'heure il croyait prendre les devants : il s'agissait d'une riposte.

On-avait-volé-la-viande-des-chats ! Michel en res-tait médusé. On avait osé s'attaquer à lui, bienfaiteur communal. On avait osé s'attaquer à lui, Carabosse mâle, spécialiste du tour de cochon. Les deux Michel se trouvaient offensés. Quelle belle occasion de sévir ! L'indignation du bedeau était proche de l'enthou-siasme. Il n'avait jamais été aussi intéressé, même par le pillage des troncs de l'église, la vente des

fausses cartes ou le viol de la fillette du cantonnier,
affaires excitantes, à l'occasion desquelles son zèle
anonyme avait proposé au moins trente coupables,
tous bien inconsidérément mis hors de cause par la
maréchaussée. On avait volé la viande des chats, une
livre d'excellent foie de veau ? Bien. Très bien. Michel
livrerait le fiel, en sus.

*
* *

La vengeance ne pouvait attendre. Une petite
éponge, trempée dans le sang d'un lapin, puis jetée
sous le nez de la chatte des Rafoix, aurait suffi à
liquider la bête. A la réflexion, Michel ne put s'y
résoudre. Mais Rafoix, lui, ne fut pas épargné. Son
puits, journellement gratifié d'une livre de terreau, ne
fournit plus qu'une eau imbuvable. A vrai dire,
Michel se servait aussi de ce puits : cela même
empêchait de le soupçonner et le secrétaire n'était pas
homme à reculer devant une corvée de seaux pour le
seul plaisir de l'imposer à l'ennemi. Vingt autres
malchances accablèrent le voisin. Les pneus de son
vélo rencontrèrent des aiguilles, des pierres furent
lancées, la nuit, dans ses châssis ; ses ruches cessèrent
de bourdonner ; son chien revint d'une escapade avec
un œil crevé et une patte cassée ; ses topinambours se
flétrirent et séchèrent sur pied, comme l'herbe des
allées quand on l'arrose au chlorate...

Cependant Lemaire n'était pas satisfait. Sûr de son
affaire et pensant que toute justice reste juste même
quand elle se trompe, puisque aussi bien elle ne
saurait frapper un véritable innocent, puisque tout
homme a été, est, ou sera capable du fait dont on
l'accuse, Michel tenait à la preuve, cherchait un
flagrant délit. Or, le larron semblait aussi patient,
aussi rusé, aussi têtu que lui. A dix reprises il avait
répété son geste. Impossible d'en douter : par acquit
de conscience Michel enfermait ses chats et ratissait
le sable tous les soirs. Dix fois, il avait retrouvé

l'assiette vide, changée de place, entourée d'empreintes. Un système de fils noirs, invisibles et judicieusement disposés, lui avait permis de repérer le passage qu'empruntait le voleur : un trou dans la haie. Ce voleur volait à peu près n'importe quoi. A titre d'expérience, Michel avait varié le menu. Pain, viande hachée, poisson, pommes de terre bouillies, compote de rhubarbe, tout disparaissait et cela semblait bien prouver que l'on volait pour l'art, pour le plaisir d'enquiquiner le bedeau. On volait enfin avec beaucoup d'à-propos et d'astuce. En semaine l'assiette était nettoyée l'après-midi pendant que Michel était de service à la mairie. Le samedi, jour de repos, on laissait l'assiette intacte. Le dimanche, une fois sur deux, on passait pendant la grand-messe... Une fois sur deux, car le curé, chargé d'une autre paroisse, chantait alternativement sa grand-messe dans l'une ou l'autre commune.

Tendre un piège à loup... Michel y avait bien pensé. Mais les chats pourraient s'y prendre si, d'aventure, il oubliait de le détendre chaque soir et le procédé risquait d'indisposer les âmes tendres qui lui prêtaient de la mansuétude. Il était également regrettable de ne pouvoir installer quelque mouchard électrique, capable de déclencher automatiquement l'obturateur d'un appareil et d'identifier le coupable selon les recettes de haute police qu'emploient les infaillibles inspecteurs de la Collection Jaune. Un tel cliché devenait le rêve du bedeau qui se voyait déjà distribuant l'épreuve à tout le village en minaudant : « Non, mes amis, la charité chrétienne m'interdit de porter plainte. » Faute de grands moyens il fallait se rabattre sur un vieux Brownie-caisse et sur l'observation directe, qui, jusqu'alors, n'avait rien donné parce que le misérable connaissait son horaire. Mais si renseigné soit-il, pourrait-il deviner que Michel avait obtenu du maire un lundi de liberté, qu'après avoir fait mine de partir à son travail, comme d'habitude, il était rentré par-derrière et s'était enfermé dans sa chambre ? Pourrait-il deviner que Michel et son Brownie l'attendaient derrière la vitre, l'un perché sur sa meilleure jambe et l'autre sur son pied à coulisse, tous deux raides comme la justice, patients comme le héron ?

« Nous l'aurons ce soir ! » répétait inlassablement le secrétaire, le nez collé au rideau de fausse dentelle qu'il comptait soulever au dernier moment.

Il n'osait bouger de son observatoire, il n'avait même pas déjeuné, il donnait à peine un coup d'œil aux Six, sauf à Blanc, étalé entre ses souliers et qui faisait entendre toutes les cinq minutes cet « iaou » dépourvu d'm, ce miaulement incomplet du chat qui ne demande rien de précis, qui se rappelle seulement à votre bienveillance et vous prodigue apparemment la sienne. Une écrasante lumière torréfiait l'horizon, rissolait les légumes du jardin, arrosait de feu les salades. Michel n'en avait cure, ne voyait qu'une seule chose : l'assiette, éblouissante, où boucanait une entrecôte. Etonnés de son indifférence, les chats avaient pris possession de la pièce. Roux, aplati sur le marbre de la cheminée, en savourait la fraîcheur. Gris avait choisi la commode et Tigré, en équilibre sur le dossier d'une chaise, trouvait moyen de compliquer ce tour de force en distribuant des coups de patte aux mouches. Les autres, immobiles, tassés sur le parquet, attisaient leurs prunelles et faisaient office de brûle-parfums. Leur odeur, concentrée par la chaleur, épaississait l'air. Douze autres chats, empaillés, à première vue difficiles à reconnaître de leurs successeurs, encombraient la chambre et le fumet des vivants rendaient la vie à ces morts qui ne fleuraient pourtant plus que l'antimite. Les fleurs elles-mêmes, disposées sur un guéridon, sentaient le chat et dédiaient un curieux cocktail d'effluves aux saints dont les chromos garnissaient les cloisons sous la présidence d'un engageant et mordoré Sacré-Cœur

(à l'exclusion de toute sainte : leurs fantaisies fémini-
nes, selon Michel, gâchaient les grâces).

« Nous l'aurons ce soir ! » assura Michel pour la
vingtième fois.

Comme il disait ces mots, la lumière perdit de son
intensité : l'ombre d'un cumulus passait sur le village.

« Zut, grogna le bedeau, j'ai réglé mon appareil sur
le cinquantième de seconde. Il faut que je rectifie. »
Avec d'infinies précautions, Michel déplaça l'index et
l'amena sur le chiffre 20. Mais l'opération était à
peine terminée que le soleil reparut, plus intense que
jamais. « Sainte Mère de Dieu ! », jura le bedeau (dans
la bouche de ce misogyne, l'invocation servait de
blasphème). En rectifiant pour la seconde fois son
temps de pose, il fit bouger l'appareil. « Ça, c'est un
comble, rugit-il. Nous serions frais, si l'autre arrivait ! »

La phrase s'éteignit dans sa gorge, se prolongea en
une sorte de gémissement furieux. L'autre arrivait,
évidemment. Deux mains écartaient les noisetiers et
Michel, perdant tout son sang-froid, ne songeait plus
à régler l'appareil, bien qu'il en eût le temps. Impossible de coller l'œil au viseur. La vitre entière n'était
pas assez grande pour ses prunelles dilatées. La
tête, la tête ! Quelle tête allait suivre ces mains
courtes, sales, dépourvues d'alliance, et, par là
même, proclamant qu'elles n'appartenaient pas
au voisin ?

Cependant apparaissait un paquet de cheveux gras,
une masse de crin grisâtre sous laquelle se boursou-
flait un visage violacé.

« La Graillée ! » balbutia Michel.

Comment n'y avait-il pas pensé ? La *Graillée !* La
Graillée, cette rôdeuse, à peine mendiante, vaguement chiffonnière, ramasseuse d'escargots ou de
muguet, mais surtout petite pillarde, clocharde de
village, traînant une misère épaisse, gélatineuse,

croulante, puante, nourrie un jour de détritus et le
lendemain de volaille volée.

«La Graillée! Quel dommage, messieurs!» fit
encore Michel, prenant à témoin l'indifférence des
Six.

La vieille avait passé la haie avec une agilité
flasque et, sans prendre aucune précaution, s'était
accroupie dans ses hardes auprès de l'assiette. De la
main gauche, dont le médius s'ornait d'une verrue
énorme disposée comme un chaton de bague, elle
avait saisi l'entrecôte, desséchée par le soleil et sur
lequel ses chicots s'escrimaient déjà.

Michel ne songeait pas. Il était vexé. Il était déçu.
Le voisin aurait fait mieux son affaire, le voisin
eût été un bien plus scandaleux coupable. Michel
était aussi ennuyé. La Graillée, jusqu'alors, lui était
plutôt sympathique : ses menus larcins irritaient le
village, sa vue effarouchait les enfants, sa seule
présence offusquait les narines. Michel n'avait pas
été loin de lui vouer quelque estime le jour où il
l'avait surprise en train de noyer un rat pris au piège
pour le compte d'une commère sensible. La Graillée,
poussant des grognements de plaisir, prolongeait
l'exécution, plongeait la ratière dans le ruisseau,
centimètre par centimètre, l'en retirait dès que la bête
commençait à pâmer, pour la replonger dès qu'elle
reprenait ses sens. Oui, la Graillée, bien que femme,
était un être selon son cœur. Elle avait la vocation.
Mais on la disait capable de confondre le chat et le
lapin. Si, au lieu de jeter son dévolu sur l'assiette, la
vieille empoignait l'un des Six ! Il fallait, il fallait...

Michel ne savait que faire. Ouvrir la fenêtre, crier,
ce n'était point suffisant. La Graillée ne reviendrait
plus : piètre vengeance. L'accuser, clamer son indignation à tout le village... peuh ! L'honorable Rafoix
pouvait tenir à sa réputation. Celle de la Graillée était
faite. Les gens auraient sottement pitié d'une misérable réduite à la pitance — trop somptueuse — d'un

chat. Quant à lui jouer quelque tour, ce n'était pas facile : la grande misère est insensible aux petites. La prison même eût été pour la Graillée une villégiature. Au-dessous d'une certaine gueuserie, on ne peut rien contre un être.

« C'est à voir », murmura Michel, doucement et songeur.

Il n'avait toujours pas bougé, pas tendu la main vers l'espagnolette. Il ne regardait même plus la Graillée qui se relevait et, furtive, repassait la haie. Ses prunelles, aussi propres que la vitre et faites de la même matière dure, translucide, coupable, ne réfléchissaient plus qu'une singulière satisfaction, un intérêt aigu : celui que porte un homme intelligent à la solution, purement spéculative, d'un problème. Ses traits s'étaient détendus, restaient simplement sérieux, presque graves. Trahissant la tension intérieure, des gouttes de sueur perlèrent sur son front, se rassemblèrent, suivirent lentement la ravine qui descendait de la tempe et traversait la joue. « Tout de même ! » répondit-il à une proposition secrète, informulée. Puis soudain il se secoua, s'étonna à haute voix :

« Tiens, mais elle est partie ! »

Alors il se retourna, considéra longuement, avec une tendresse froide, ses chats assoupis, réfugiés sous leurs paupières, ne communiquant plus avec le monde que par les raides et frémissantes antennes de leur moustache :

« Puisqu'elle a si faim, cette pauvre vieille, leur dit-il, nous allons la gâter, n'est-ce pas ? »

*
* *

La Graillée fut gâtée en effet. Pendant près de six mois. Négligeant ses autres « clients », négligeant même son service et trouvant de si fréquents prétextes pour trotter chez lui à certaines heures que maire et curé s'en plaignirent, Michel comblait la Graillée d'attentions. Avec une ampleur jamais atteinte qui laissait présager de terribles représailles, il appliquait son principe de compensations. Pendant toute la fin de l'été et durant l'automne, en plus du plat quotidien théoriquement offert aux chats mais peu à peu devenu un bon petit plat mitonné pour chrétienne, le secrétaire de mairie se mit à oublier auprès de l'assiette des fruits, des légumes fraîchement cueillis, disposés dans un petit panier.

La Graillée ne se fit point faute d'y puiser et la prestesse avec laquelle elle enfouissait cela sous sa robe faisait l'admiration de Michel, embusqué derrière sa vitre. L'habitude aidant, la vieille devint presque imprudente, se permit de prélever une dîme sur la treille en choisissant les plus belles grappes abritées des mouches par un sachet de cellophane... Elle devenait, aussi, exigeante comme les indigents bien nourris des asiles. Elle grognait des injures à l'adresse du bedeau lorsque le contenu de l'assiette ne lui convenait pas. Il est vrai qu'elle grognait également de hargneuses appréciations quand il s'agissait d'un excellent bœuf mode. Michel, qui lui aussi s'enhardissait et n'avait pas craint de transporter son observatoire dans la cabane aux outils, à quelques mètres de la visiteuse, souriait aux anges en l'entendant cracher : « Quel salaud ! Donner ça à des chats, pendant que moi, je la saute ! » Cependant la vieille s'étonnait et s'indignait de moins en moins. Les facilités qui lui étaient laissées lui mettaient sans doute la puce à l'oreille. Elle avait parfois un regard circulaire, un sourire entendu, presque déférent, comme si elle soupçonnait un comble de pudeur dans cette charité qui se laissait faire violence et fournissait à son obligée la satisfaction de prendre en lui épargnant l'humiliation de recevoir. Alors, par prudence, Michel offrait de temps en temps à son invitée du mou et des rognures. La vieille ne se décourageait pas, revenait, au plus tard, le surlendemain. Bien entendu, les voisins avaient fini par l'apercevoir. Un soir, Rafoix crut devoir avertir Lemaire, qui rentrait de la mairie.

«Je vois trop souvent la Graillée dans le petit chemin. Mon chien veille. Mais ça ne m'étonnerait pas qu'elle profite de votre absence. Faites attention à vos fruits... et à vos chats !

— Bah ! bah ! répliqua Michel, mes chats sont enfermés. Quant au reste, mon Dieu, j'ai un peu plus que le nécessaire... »

Charitables, indulgentes, ses paupières tombaient sur ses pommettes.

«Après tout, reprit-il, la Graillée ne me croquera jamais autant de pommes que les loirs. J'en suis infesté et je vais être obligé d'acheter quelque drogue pour me débarrasser de cette vermine. En avez-vous, Rafoix ?

— Hum ! fit l'autre, indécis, c'est possible. Voilà une semaine que je trouve des fruits rongés sous mes arbres.

— Vous voyez ! vous voyez ! » gloussa Michel, admirablement sincère et jetant un coup d'œil feutré du côté de son clapier, dont les lapins nourris depuis huit jours de reinettes et de calvilles lui fournissaient une grande provision de trognons.

Avec l'hiver, la tactique de Michel évolua. Sachant que la vieille ne pouvait plus rien trouver dans les champs et qu'elle dépendait plus étroitement de lui, il décida de ne plus la nourrir qu'un jour sur deux, puis un jour sur trois, enfin un jour sur quatre. Il n'alla pas plus loin : il ne fallait pas éloigner sa proie. Bien au chaud dans sa cuisine, il grelottait de joie en apercevant la Graillée qui grelottait de froid et cherchait à tâtons dans la neige l'assiette pleine de flocons. «Oh ! sifflait-il entre ses dents, il t'a oubliée, le Michel ! » Le quatrième jour, il ne lésinait pas, il remplissait l'assiette de hachis Parmentier, il résistait

à la tentation d'y jeter une poignée de sel. Mais il
souriait de biais, il soupirait en constatant l'énorme
satisfaction de l'affamée qui mâchait bruyamment et
rotait haut. Il marmonnait, lui, de consolantes mena-
ces :

« Bâfre, ma grosse ! Tu verras le bon réveillon que
nous te ferons faire à Noël. »

*
* *

A vrai dire, ce « réveillon » ne pouvait avoir lieu
immédiatement après l'heure que l'hymne proclame
solennelle et qui vit pour la dernière fois fonctionner
le bedeau, dans toute sa pompe. Noël tombait un
jeudi et le réveillon était prévu pour le lendemain,
vendredi, que Michel avait décidé de chômer sous
n'importe quel prétexte.

Ce vendredi matin, sous le coup de dix heures,
Michel entra dans la chambre des chats. Il était déjà
rasé, pomponné, cravaté, vêtu de son plus beau
costume, sur lequel il avait enfilé provisoirement sa
blouse grise de bureau. Un peu blanc, visiblement.
fatigué par des insomnies et un rhume tenaces, il
éternua avant de nasiller :

« Grande fête, messieurs ! »

Il ouvrit aussitôt les volets de la pièce réservée à ses
chats, espèce de nursery féline complètement démeu-
blée dont les plinthes et le parquets étaient signés
d'innombrables coups de griffes. Puis il referma la
fenêtre malgré l'odeur qui atteignait ici son
paroxysme, surtout à proximité de certaine caisse
pleine de cendres fines. Les chats, qui se prélassaient
encore sur leurs coussins respectifs — de couleur
assortie à leur fourrure — soulevèrent une paupière,
allongèrent du velours, puis écartèrent le bout de
leurs pattes d'où jaillirent cinq crochets flexibles qui
une fois de plus maltraitèrent le plancher. Enfin, du
fond de leurs bâillantes gueules, peuplées de râpes

roses et d'ivoires aigus, monta le feulement mineur, la réclamation matinale de faims sages.

«Grande fête! hululait toujours Michel. Qui aura son canari? Je dis bien son canari-ri-ri!»

A ce mot, la ménagerie s'électrisa, bondit, tourbillonna, exigeant sur l'heure la rarissime aubaine de plume chaude offerte aux grandes dates du calendrier. La veille, précisément, le patron avait ouvert la cage où il entretenait à longueur d'année une demidouzaine de fifis, non pour le plaisir de les entendre siffloter leurs rengaines, mais dans le seul but de faire briller les prunelles des Six, de maintenir, chez ces gros et gras, un reste d'élégante sauvagerie. Pendant un temps il s'était contenté de souris blanches. Mais elles se laissaient gober avec une facilité dérisoire et ne savaient même pas jouer à je m'enfuis-pour-rire. Un serin tenait mieux. Lâché dans la chambre des chats, toute nue, dépourvue de lustre, donc de perchoir, il ne pouvait s'accrocher à rien, même pas aux murs peints, trop lisses. Il volait d'une cloison à l'autre, dans tous les sens, jusqu'à épuisement. Il se précipitait contre la vitre, s'assommait à moitié, glissait presque à portée de griffe, se relevait dans un battement d'ailes désespéré, essayait de se poser sur la poignée de l'espagnolette, seul havre possible, mais combien précaire et d'où le chassait très vite un bon de Tigré, champion de saut et d'escalade. C'est là généralement que le même Tigré parvenait à le happer et l'étouffait d'un coup de gueule si sec qu'on entendait craquer les ossements. Et tandis qu'il le dévorait, bec et rémiges compris, tandis que ses rivaux moins élastiques grondaient de dépit, Michel réfugié dans un coin arborait son plus délicieux sourire.

«Du calme, messieurs! Vous me fatiguez. Le canari, ce sera pour demain, si toutefois...»

Michel battit en retraite, serré de près par l'enthousiasme des siens qui s'apaisa dans la cuisine

autour d'un plat de harengs. Le vendredi, les Six
faisaient abstinence, comme leur maître. Une abstinence confortable : les harengs étaient soigneusement cuits, sautés au beurre, étêtés et au surplus
dépouillés de leurs inconvenantes laites, indignes de
castrats.

Tandis que les Six, disposés en étoile autour du
plat, mangeaient leur poisson en dodelinant du chef
et en mâchouillant de côté avec un léger bruit de
hachepaille, Michel s'affairait. Déjà, le charbon
pétillait dans la cuisinière, la flamme ternissait ce
miroir d'acier entretenu à l'émeri fin, l'air chaud
montait en spirale autour du tuyau passé au Chro-
malu. Lemaire ouvrit son livre de cuisine, lut la
recette 835, relut, approuva du menton, revint au
fourneau et mit la cocotte en place. Un gros morceau
de beurre y fondit bientôt, que rejoignirent les
oignons rituels, finement hachés. — *Faire revenir à
feu vif,* récitait lentement Michel en reniflant ses
larmes et son rhume. *Laisser dorer. Entreprendre un
roux brun. Y jeter le lapin préalablement détaillé...
Bouquet garni. Mouiller de vin rouge.*

Ses gestes suivaient ses phrases, avec une onction
sacramentelle. L'odeur monta bientôt comme un
encens et les Six, intéressés, abandonnèrent leur plat
dix fois reléché, commencèrent à tourner autour des
chevilles du patron.

« Non, messieurs, leur confia celui-ci d'une voix
aigrelette. On ne mange pas de civet le vendredi. Mais
la Graillée, cette païenne, s'en moque. »

Un mince ricanement acheva sa pensée : la Graillée serait en état de péché mortel. Suprême raffine-
ment : à peine liquidée sur la terre, elle serait
liquidée dans les cieux. Michel se moucha, se remou-
cha, cracha dans le civet, puis annonça très vite, sur
un ton si pointu qu'il concurrençait la petite flûte :

« Maintenant, je poivre. »

Hésitante, sa main s'allongea vers l'étagère, attei-

gnit certain sac de papier bulle, orné d'une bande
rouge où se détachait le mot POISON et une tête de
mort entre deux tibias. Une étiquette verte, encadrée
de noir, complétait l'avertissement : RONGICIDE,
pour la destruction des taupes, loirs, mulots, campa-
gnols. A mélanger aux appâts. Très toxique : manier
prudemment. Mais Michel, par bravade, prit une
pincée de cette poudre grisâtre, la déposa sur l'extrême pointe de sa langue :

« Aucun goût, fit-il. D'ailleurs j'ai forcé sur l'ail et
sur le thym. »

Il cracha toutefois, se rinça la bouche, recracha. Le
paquet tremblait un peu dans sa main. Les Six, plus
encombrants que jamais, lui dédiaient des prunelles
et des narines passionnées. Blanc gronda et Michel,
mal à l'aise, interpréta ce reproche à sa façon :

« Eh bien, quoi, protesta-t-il faiblement, je vous
sauve ! »

Son autre main, plus molle encore que la première,
rafla sur la table une cuillère de bois. Une cuillerée....
non, c'était insuffisant. Deux, c'était mieux. Trois, ce
serait parfait. Les trois cuillerées de l'étrange condi-
ment vinrent épaissir la sauce, que le cuisinier de
onze heures se mit à touiller avec conviction. Il
flageolait un peu sur ses jambes inégales, il bafouil-
lait à mi-voix le reste de la recette :

« *Piler le foie et l'ajouter ainsi que le sang...* Non,
surtout pas de sang !... *Faire mijoter durant une*
heure... Mijoti, mijota, mijotons pour l'éternité. »

Enfin, il abandonna la cuillère, régla le tirage et,
boitant plus bas que d'habitude, se dirigea vers son
fauteuil où il s'écroula. Son rhume, quinze nuits
d'insomnie et, surtout, ce petit geste — une, deux
trois — l'avaient exténué. Ses paupières papillotaient.
Il bâilla, d'une oreille à l'autre, immensément. Dans
leur cage les canaris économisaient leur mil et leurs
fausses notes, rentraient le bec sous une aile fripée.
De grosses bulles, soulevant la sauce du civet, clouc,

clouc, crevaient doucement, se tranformaient en pus-
tules grasses d'où fusait l'arôme du bouquet garni.
Les chats, dépités, s'étaient glissés sous le fourneau, à
proximité de la chaleur et du parfum.

« Je vais me reposer un peu, leur annonça Michel.
Dans un quart d'heure, je rechargerai le feu. »

A ce moment les muscles de son cou s'amollirent,
son nez piqua vers son gilet. « Ça non, pas de
ronflette, ce n'est pas le moment », protesta le
bedeau. Les muscles coupables se contractèrent, rele-
vèrent le nez, le maintinrent haut, pointé dans la
direction du jardin. Puis ils se relâchèrent insensiblement, insidieusement, et Michel, qui faisait confiance
à l'énergie de ses paupières, ne s'en aperçut pas. Il se
sentait bien. Il voyait seulement un peu trouble. Plus
exactement, les objets perdaient de leur relief, se
nimbaient de gris. Pourtant l'assiette de la Graillée
restait bien visible, bien nette, à travers la vitre. Elle
s'élargissait, elle prenait une importance insolite.
Ultra-présente et par là même autorisant Michel à se
croire bien éveillé, l'assiette, l'assiette, l'assiette, lune
de ses insomnies, l'empêchait de comprendre qu'il
sombrait dans l'inconscience. Cette assiette se remplit
tout à coup d'un civet magique, jusqu'aux bords et
Michel, que le rêve emportait, ne réagit point. Il
trouva tout à fait normal de voir apparaître la
Graillée marchant sur des mocassins faits de peau de
chat. Il trouva normal de l'entendre psalmodier sur le
rythme du *Parce populo* cette supplique solennelle :
« Puis-je manger, Seigneur ? » et il l'encouragea vivement du menton, sans se douter que ce menton cédait
à la pesanteur du sommeil et s'effondrait, en réalité,
sur sa cravate.

Un quart d'heure plus tard, le feu ne fut pas
rechargé. Une respiration difficile d'enrhumé meu-
blait le silence d'un grésillement régulier, tandis que
s'affaiblissait celui de la cocotte. Un chat sortit de
dessous le fourneau, puis un autre...

*
* *

Vers midi, Michel se réveilla comme il s'était
endormi : insensiblement, à la manière d'un brouillard qui se dissipe. La première chose qu'il entrevit
fut encore l'assiette, bien vide, blanche, luisante. Puis
les noisetiers se dégagèrent : leurs branches défeuil-
lées fouettaient un ciel grumeleux, piqueté de noir
comme la mousse de savon qu'abandonne le rasoir.

« Mon fourneau ! » grommela Michel, à seule fin de
briser cette espèce de coquille, cette torpeur qui
l'enveloppait encore.

En fait de coquille, il sortait sans doute d'un œuf
pourri. Réveillé par son nez plus que par ses yeux, le
bedeau renifla. Quelle était cette odeur ? Il ne s'agissait pas du tenace relent habituel, ni de la puanteur
hypocrite qui sort d'un dessous d'armoire où un chat
s'est oublié. L'odeur avait quelque chose de tragique... Alors, soudain, l'inquiétude le fit pivoter dans
la direction de la cuisinière.

« Messieurs ! » hurla-t-il.

Ce fut tout. Plus un cri ne sortit de sa bouche. Son
visage n'exprima rien, se figea comme celui d'un
guillotiné. Il ne se leva même pas, resta raide, empalé
sur sa colonne vertébrale. Seuls vivants, ses yeux se
mirent à rouler dans tous les sens, chacun pour son
compte, jetant sur le désastre ce regard particulier de
la folie ou des grandes tendresses foudroyées qui
semblent ne plus voir avec les prunelles, mais avec la
sclérotique... Roux, qui devait avoir sauté le premier
sur la cuisinière éteinte, était déjà raide, parallèle à la
barre chromée du fourneau. Noir, Bleu et Gris,
encore mous, gisaient autour de la cocotte, dans des
flaques de sauce, de fiente et de vomissement. Blanc,
le préféré, agonisait au pied de la cuisinière : une
écume rose lui sortait de la gueule, ainsi qu'un faible
gargouillement. Le bout de ses pattes, étirées à
l'extrême, frémissait un peu. Tigré ne figurait pas au

tableau, mais un regard de Michel le découvrit bientôt : fidèle à son tempérament, il était allé crever sur
le haut de l'étagère, entre le fait-tout et la boîte de
biscottes.

« Hui, huihuihui ! hui ! » chanta soudain un canari,
bien éveillé et qui s'épouillait à plein bec.

Le bancal passa brusquement du blanc céruse au
violet vinaigre et, d'une secousse, réussit à se mettre
debout.

« Vous n'échapperez pas pour autant, vociféra-t-il.
Ni vous, ni elle. »

Ses doigts se crispaient, son pouce esquissa le joli
geste qui permet d'étouffer les pigeonneaux. Mais les
pattes de Blanc cessèrent de frémir et la mauvaise
jambe de Michel — qui décidément était bien une
jambe trop courte — se déroba sous lui. Il retomba
lourdement sur son siège et, sans regarder le crucifix
suspendu pour la forme entre un romarin desséché et
le calendrier annuel des P.T.T., lui fit son compli-
ment :

« Toi aussi, tu t'y connais en fait de compensations ! »

Ce fut sa dernière phrase sensée, sa dernière lueur
de raison. Le mal qui le rongeait secrètement depuis
des années s'empara tout à fait de lui. Les deux
Michel s'annulèrent. Leur commun visage parut se
fendre en deux, dans le prolongement de la raie
soigneuse qui divisait toujours les cheveux, coagulés
par la sueur et la brillantine. Du plus profond d'une
gorge éraillée, une première voix gémit la vieille
rengaine :

« C'est la mère Michel qui a perdu... »

Puis une seconde voix :

« La garce ! »

La complainte reprit, s'éternisa, entrelacée d'injures. Le temps ne comptait plus. Les chats se gon-
flaient et le rictus des cadavres leur déchaussait
progressivement les crocs. Michel n'était plus rien

qu'un bancal anonyme, inerte, égaré, vaguement
ventriloque et ne parvenant pas à trouver quelque
salive dans cette bouche desséchée qui répétait de
plus en plus faiblement :

« C'est la mère Michel... ».

Il n'avait pas bougé, il fredonnait encore d'une voix
à peine perceptible, quand ses voisins alarmés forcè-
rent sa porte et quand vint le chercher la voiture
capitonnée de l'asile de Saint-Dizier, où il mourut six
mois plus tard en exhalant une dernière parole qui
pouvait être le mot « chat ».

M'EN ALLANT PROMENER

GABRIELLE arborait des prunelles d'un bleu très pâle, sous des sourcils serrés. Ses tresses, qu'elle se refusait obstinément à couper, comme les Irlandaises ou les Polonaises des alentours, lui faisaient deux fois le tour de la tête. Ses chevilles, ses poignets, son cou, plutôt minces, n'étaient point d'une fermière : hormis Louis Péchut, ses danseurs la trouvaient plutôt frêle. Très journalière, elle était parfois ravissante et plus souvent quelconque. Mais en tout temps elle promenait devant elle un bout de menton qui en disait long sur son caractère : encore patiente, elle ne restait pas éternellement soumise. Aminca Goutcheva, sa presque belle-mère, le savait bien et abusait de son reste. La maison était pleine de ses cris :

« Gabrielle, passe la vadrouille... Gabrielle, *cut some bread...* Gabrielle, du bois dans la fournaise, *quick !* »

Qu'elle employât le français, l'anglais ou le bulgare, le ton d'Aminca ne changeait pas. Depuis six ans, c'était une rude régence que celle de cette vieille fille, embauchée par Thomas Tranchet, au lendemain de la mort de sa femme. Sœur de Phrem Goutchev, le Rouméliote, qui avait acquis le quart-de-section coincé entre les concessions des Tranchet et des

Péchut, Aminca (que les enfants entre eux appelaient
« la Goutcheva ») avait su se rendre indispensable et
passer peu à peu du rôle de servante à celui de
maîtresse de maison. Elle entendait bien profiter de
l'autorité acquise pour conserver une charge que
Gabrielle pouvait désormais remplir et Thomas avait
d'assez peu secrètes raisons pour la laisser faire : ses
cinquante-cinq ans n'avaient rien trouvé de mieux
dans ces solitudes, encore qu'il hésitât, lui, catholique, à épouser cette orthodoxe. Aminca savait attendre et, sûre de s'installer définitivement à La-Colline
après le départ de Gabrielle, songeait à la
marier : son neveu, Youri, fils de Phrem, ferait fort
bien l'affaire, en affermissant sa propre position. En
attendant, assurer à la jeune fille une vie rude, la
dégoûter de la maison, telle était sa politique : politique d'autant plus facile à suivre qu'Aminca apparte-
nait à cette catégorie de femmes qui se soûlent de
leurs criailleries et qu'enhardit l'autorité. Sans marty-
riser la fille, elle ne lui épargnait donc ni tâches ni
reproches et se contentait de ménager les garçons,
colosses délibérément hostiles qui eussent volontiers
pris le parti de leur sœur, si celle-ci s'était rebiffée,
mais qui jugeant leur monde à l'épaisseur de l'os et
de la voix, ne comprenaient guère sa discrétion. Ils
ignoraient que Gabrielle, tête haute, sous ce quadril-
lage de tresses qui la faisait ressembler à une grenade, elle aussi, savait attendre.

*
* *

Pour tout dire, la grenade éclata, le premier dimanche d'avril, à l'improviste.

Toute la famille s'était rendue à Galtown, y compris les trois aînés, Toussaint, Paul et Martin, rentrés
la veille des pulperies où ils avaient travaillé tout
l'hiver, avec les fils Péchut. Comme ses voisins,
Thomas Tranchet entreprenait cette expédition de

quinze milles une fois par mois, pour traiter ses affaires, amuser les siens et, du même coup, entendre la messe en l'église-baraque des Oblats.

Répartis en deux traîneaux, les Tranchet rentraient donc, ce soir-là, à La-Colline. Leurs voitures marchaient de front. Dans celle de gauche avaient pris place Gabrielle, ses trois petites sœurs et Aminca, qui conduisait ; dans celle de droite, les quatre hommes. A trente mètres suivaient les Erensky : Phrem, sa femme Isva, sa fille Léna, son fils Youri. Plus loin derrière, les Péchut braillaient en chœur la vieille rengaine :

> *A la claire fontaine*
> *M'en allant promener...*

« Ce qu'ils peuvent grincer faux, ceux-là ! » fit la Rouméliote.

Gabrielle haussa les épaules et, se retournant, lança d'une voix de pinson maigre la fin du couplet :

> *... J'ai trouvé l'eau si belle*
> *Que je m'y suis baignée.*

Aminca secoua ses cheveux jaunes, couleur de chanvre mal roui. Déjà, les petites, intéressées, imitaient Gabrielle, rejetaient la couverture pour se redresser.

« *Sednété !* glapit la vieille fille. Asseyez-vous, idiotes !

— Le chemin traîne mal, dit Thomas, se penchant vers les femmes. Ça fond. Ça tourne en « sloche ».

Il parlait pesamment, conduisant ses mots comme ses chevaux : avec retenue. Ce Canadien français, passé du Québec à la Saskatchewan, défendait sa langue à coup d'accents graves. Gabrielle consentit à s'asseoir, non sans avoir poussé une sorte de you-you

strident. Aminca fit claquer son fouet et dit, à
mi-voix :

« Tu garçonnes, ma fille ! Te demandes-tu ce que
Youri va penser ?

— Youri ! Beau dommage ! Qu'il pense ! Je me
chacote pas pour lui ! » jeta Gabrielle.

Aminca secoua les rênes :

« Tu déparles ! reprit-elle. Youri, lui, il a sa
job toute faite. Tandis que l'autre vagabond... *He
cannot be much poor !* Avant de s'installer il se louera
encore des hivers et des étés. T'auras le temps de
sécher.

— T'es bonne ! dit Gabrielle, doucement. Tu pré-
férerais que ce soit Léna qui sèche pour lui. L'acha-
lant, c'est qu'elle n'est pas près de le matcher ! Elle
ne sait pas s'y prendre comme toi !

— Pshaw ! »

Aminca serra son fouet, répétant ce cri de guerre,
qui faisait déguerpir les poules et dont nul ne connaissait à La-Colline, le sens précis :

« Pshaw !

— Gabrielle, lança Thomas, ça va faire ! Ferme un
peu. »

Une moue épaisse soulevait ses moustaches drues.
Il foudroya du regard ses trois fils, qui s'amusaient
ferme. Aminca, se croyant soutenue, eut le tort de
lever un peu son fouet : menace toute morale, mais
que Gabrielle dut prendre pour argent comptant.
D'un coup de reins elle fut debout, contre l'ennemie,
lui arracha le fouet, la repoussa si violemment
qu'Aminca, jambes en l'air et pantalons déployés,
vida la place et culbuta dans la neige.

« Baptême ! » jura le fermier.

Il n'en put dire davantage. Les chevaux d'Aminca,
effrayés, venaient de faire un écart et son propre
attelage, stoppant des quatre fers, se rabattait sur le
côté. Son traîneau se retourna, tandis que l'autre,
allégé par la chute d'Aminca, emportait les petites et

leur aînée qui avait ramassé les rênes et cinglait les
bêtes à la volée.

Tout le monde se releva indemne. Aminca vociférait en trois langues, jetant de sombres coups d'œil
aux Péchut qui avaient profité de l'incident pour
combler leur regard et troquaient leurs chansons
contre d'énormes rires.

« La maudite ! grognait le père, avec une étrange
pointe de bonhomie dans la voix.

— Pour la frottée elle peut m'attendre ! » piaulait
Aminca.

Mais il fallut réparer un trait et les garçons s'y
employèrent sans hâte. Quand le traîneau repartit,
surchargé, il n'était plus question de rattraper la fille.

Deux heures plus tard, quand les Tranchet, flan-
qués des Erensky, franchirent la barrière de La-Colline, la première chose qu'ils aperçurent fut le traîneau vide, secoué par l'impatience des chevaux qui
n'avaient pas été dételés et qui, frissonnant de tout
leur poil, jouaient du sabot en pataugeant dans une
flaque de pissat.

« Vont tousser, ces bêtes-là ! » gronda Thomas.

Puis il se jeta dans la grande salle en criant :

« Où elle est, Gabrielle ? »

Point de Gabrielle. La fournaise avait été rallu-
mée ; et aussi le réchaud à propane, sur quoi trônait
la marmite. Mais les gamines, qui n'avaient pas
enlevé leurs mitaines, jouaient à main chaude sur la
table. Berthe, la plus âgée, leva son museau gercé,
aux trois quarts enfoui dans le passe-montagne.

« Où elle est, Gabrielle ? répéta Thomas.

— Elle s'est sauvée, dit la petite, sur le ton de la
leçon bien apprise. Elle a crié : « J'en ai plein mes
« bottes de servir la servante. Je vais tout sacrer là, je
« pars. »

— *Dob'eur p'eut!* » jeta trop vite Aminca.

Les Tranchet connaissaient depuis six ans assez de bulgare pour la comprendre. Les garçons, dents serrées, se tournèrent vers leur père qui secouait maintenant la fillette :

« Et par où elle est partie, Berthe ? par où ? » Mais la petite maintenant, reniflait. Ce fut Marie-Madeleine, l'avant-dernière, qui pointa le doigt :

« Par là, dit-elle, avec ses patins.

— Ses patins, répéta lentement Thomas, consterné. Alors elle descend à Riper-Station, par la rivière ; et la rivière va débâcler, la glace pourrit... Malheur. Elle est folle.

— A Riper-Station, pour y prendre le train... Avec quel argent ? » fit Aminca.

Elle se précipitait déjà vers l'armoire, l'ouvrait, en retirait la vieille théière cabossée où sommeillaient ses économies : eagles, souverains, pièces de 20 dollars et même anciens thalers de Marie-Thérèse. Thomas la fusilla du regard :

« Occupe-toi des minounes, commanda-t-il. Vous, les gars, vous descendrez la rivière avec moi.

— Voire ! La glace peut porter Gabrielle, dit Martin. Mais pas nos deux cents livres.

— On longera le bord jusqu'à la station.

— *You carry me ?* demanda Youri.

— Non, fit rudement Martin, c'est du linge de famille. »

Aminca pinça les lèvres et, sans douceur, se mit à désendimancher les fillettes. Les hommes en sortant claquèrent si sèchement la porte que l'appel d'air imprima un long mouvement de balancier aux vessies de porc gonflées de saindoux et suspendues aux solives. D'un coup de pied, Phrem envoya rouler le chat. Berthe, giflée pour le compte, se mit à sangloter. Puis ses reniflements furent couverts par de solides jurons, par le bruit des fers qui, à défaut d'étincelles, tiraient du verglas des esquilles de glace.

« Gabrielle a trop d'avance, dit enfin Youri, en anglais. Ils ne la rattraperont pas.

— Ce serait une catastrophe, grommela Phrem, en bulgare. Les Tranchet ne le pardonneraient jamais à ta tante. »

Aminca n'ajouta rien. Tassée dans ses jupes, elle s'était mise à éplucher de longues pommes de terre dont la chair jaune s'assortissait à son teint.

Vers six heures, comme la nuit tombait, un quadruple galop retentit du côté de la rivière.

« La sotte a eu peur ! » dit Aminca, grattant de l'ongle le givre d'une vitre et rivant une prunelle à cet œilleton.

Déjà les Tranchet, effondrés sur leurs selles, débouchaient dans la cour.

« *Lack-a-day !* Ils sont seuls. »

La porte fut bousculée, d'un coup d'épaule. Massif, dédiant à tous le regard rouge du bœuf raté par le maillet, le fermier s'immobilisa sur le seuil. Sa grosse patte se refermait sur un petit gant fourré de lapin gris : le gant droit de Gabrielle.

« Elle n'a pas fait cinq cents yards, dit-il. La glace s'est rompue. T'entends, Aminca ? La glace s'est rompue. »

Hurlantes, les petites se jetèrent sous les bottes de leur père, qui les écarta, fit quelques pas, laissa tomber le gant. Ses fils s'avançaient derrière lui, menaçants, contractés. Aminca, effarée, effacée, enfin très servante, recula jusqu'au mur.

« Y avait rien à faire, souffla Thomas. Le courant gronde déjà sous la glace. »

Sous la fourrure mouillée, une sorte de craquement disloqua son souffle. Thomas s'écroula sur le long banc parallèle à la table. Pendant quelques secondes on n'entendit plus rien, hormis le sanglot de la

marmite qui clapotait en soulevant son couvercle.
Dolente, peut-être décente, Aminca tira son mouchoir. Les trois frères se consultaient du regard.
Enfin, l'aîné, marchant sur la vieille fille, lui souffla
dans le nez :

« *Dob'eur p'eut !* Bon voyage, toi aussi !

— Le diable m'empue si je te supporte, à c'te
heure ! dit Paul.

— Dérape ! » dit Martin.

Le reste se passa dans un silence absolu. Martin
pénétra dans la chambre voisine, en ressortit avec le
coffre d'Aminca et s'en fut le jeter sur le traîneau des
Goutchev. Paul alla chercher le manteau de la vieille
fille, le lui jeta sur les épaules. Toussaint la prit par
le bras et la poussa dehors, terrifiée, perdue dans ses
mèches et n'osant même pas gémir. Le père, prostré,
n'avait pas esquissé un geste. Les Goutchev étaient
déjà sortis, tête basse ; on les entendait jargonner
dans la cour avec une rage contenue.

« Vous êtes fous ! protesta enfin le père, sortant de
sa torpeur. Qui fera la soupe ? Qui s'occupera des
enfants ? »

Les garçons ne répondirent pas.

« *Dob'eur p'eut* », répéta Toussaint, tandis que le
traîneau démarrait.

Le feu s'était éteint. Des gouttes tombaient des
solives où s'était condensée la vapeur. Un temps
inappréciable s'écoula ainsi : peut-être une demi-
heure, peut-être moins. La nuit était tout à fait
tombée. Figés, farouches, assis autour de la grande
table, les Tranchet refusaient d'entendre le meuglement des vaches qui n'avaient pas été pansées, les
battements d'ailes de la volaille secouant des jabots
vides. Ils n'écoutaient que le bruit lisse du vent
d'équinoxe, fendu par l'arête du toit.

« Faudrait pourtant... » murmura Toussaint au bout
de longues minutes.

Il se souleva, ouvrit la porte, s'arrêta.

« L'esprit me tourne », murmura-t-il.

Un léger refrain, dans d'aigres bouffées d'air, parvenait jusqu'à lui.

« Qui ose ? » rugit Thomas.

Mais soudain, du côté des silos, une vive talonnade fit craquer la croûte de « sloche » redurcie par le gel nocturne. Un éclat de rire émietta des étoiles ; et une voix bien connue, grelottant de gaieté, lança dans l'ombre :

« *M'en... allant... promener...*

— Gabrielle ! » s'écrièrent, sur tous les registres, les Tranchot, haletants.

Toussaint recula. Et la fille apparut, menue, agressive, la tête entortillée dans ses tresses et penchée de côté, comme celle des mésanges qui considèrent la chenille avant de l'attaquer.

« Eh bien, dit-elle avec un culot candide, vous m'en faites tous, une mine ! »

*
* *

Thomas se retrouva debout, un peu flageolant et dut faire un effort pour traîner ses bottes, pour s'approcher de sa fille qui s'était immobilisée sur le pas de la porte et continuait à lui offrir de biais son sourire, à la fois ironique, tendre et contrit.

« C'est... c'est toi ! » bredouilla-t-il, avec une chaude fureur.

Le sourire de Gabrielle devint plus discret, mais elle ne bougea pas. Thomas fit encore un pas ; puis sa main, une lourde main aux cals épais, aux ongles cannelés, partit à la volée, gifla la petite à pleine paume, lui coucha la tête sur l'épaule. Comme il s'apprêtait à redoubler, les garçons s'interposèrent :

« Ça va, père, laissez-la causer.

— Oui, gronda le fermier, dis-le. Où tu étais ? »

Gabrielle, qui n'avait pas daigné se frotter la joue, ne crut pas non plus devoir s'excuser. Elle traversa la pièce comme si elle rentrait d'une petite course et, se penchant sur la benjamine, entreprit de la recoiffer.

« Est-ce là tant de quoi ! dit-elle, posément. J'étais chez les Péchut. Louis ne reste pas, il remonte dans le Nord pour deux ans.

— Et nous qui avons cru... » commença Martin.

Il se tut aussitôt : les paupières de sa sœur cillaient très vite, à son intention.

« Maldonne ! souffla le fermier. Cette pauvre Aminca, l'affront qu'elle avale ! Pour rien... »

Gabrielle ne répondit pas. Elle avait décroché son sarrau, s'affairait. La table fut essuyée, le couvert mis, très vite. D'autorité, certains objets furent changés de place. Les garçons observaient le manège, bouche bée, une petite lueur dans la prunelle. Le père, embarrassé, ne parvenait pas à prendre une attitude, une décision.

« On se lave les mains, petites ! commanda Gabrielle, d'un ton qui n'admettait pas de réplique. Toi, Paul, du bois. »

Tout le monde obéissait avec un empressement significatif. Thomas sentait bien que son silence entérinait cette usurpation ou cette restauration, mais il ne savait plus s'il avait des comptes à rendre ou à réclamer. La famille entière prenait le parti de Gabrielle. Si les garçons n'étaient pas de mèche, ils étaient visiblement tous d'accord pour profiter de l'occasion et faire l'économie d'une belle-mère. Alors Gabrielle, qui s'était obstinée à ne point remarquer l'absence d'Aminca, feignit l'étonnement et pointa l'index vers la théière, que dans son trouble la vieille fille avait laissée sur la table.

« Qu'est-ce qu'il fait là, le magot ? » dit-elle.

Martin sentit qu'il était préférable d'aider sa sœur à enchaîner.

« Aminca, en partant, l'a oublié.

— Vous avez renvoyé la servante ? fit aussitôt Gabrielle, tourné vers son père. C'est du vite fait, père, mais du bien fait. Elle était toujours à nous bourrasser. Et puis y a longtemps que je peux me débrouiller seule. »

Thomas qui, depuis quelques instants, tyrannisait ses moustaches, eut un dernier sursaut :

« C'est trop bête, dit-il, en se levant. Je m'en vais arranger ça, vitement. »

Mais Gabrielle, poussait le verrou, se campait en travers de la porte.

« Non, dit-elle, c'est l'heure du souper. J'irai moi, demain, sans manque, lui rendre ses piastres. »

Et comme Thomas hésitait, elle le cloua sur place en ajoutant :

« Vous comprenez, on ne prend qu'une fois ses chances. J'ai eu trop de mal à la casser, la glace. »

LA RAINE ET LE CRAPAUD

LENTE, muette, bouffie, la tête émerge seule, la tête
avance, poussant devant elle la petite proue de son
menton. Elle avance, elle dérive plutôt d'un mouvement continu, sans la moindre saccade et ses cheveux
constellés de lenticules traînent dans le mince sillage.
Nul regard ne filtre à travers les paupières presque
closes et, de la bouche à peine entrouverte, ne sort
pas le halètement du nageur, mais un souffle si
calme, si reposé qu'il ne ride même pas l'eau. Pourtant elle se dirige, cette tête flottante, elle évite les
obstacles, elle contourne les nénuphars largement
étalés et dont les fleurs, d'un jaune cru, semblent
allumées comme des veilleuses. De toute évidence, un
simple mais constant battement de pieds soutient
cette promenade de championne.

Promenade si conforme au décor que les hôtes du
marais ne s'en effarouchent pas. Les grenouilles
vernissées, les *raines*, lui coassent dans l'oreille.
Remonté des profondeurs pour renouveler sa provision de bulles, le dytique crève la surface à quelques
centimètres de son nez. La farouche effarvatte, qui
déclenche à la moindre alerte son insupportable
crécelle, ne bouge même pas de son nid suspendu aux
cannes frémissantes. Un vol frais disperse les sarcel-
les, tandis que d'inlassables pluviers tournoient sur

une aile, éternisent un concours de plongeons, se relèvent en fouettant à pleines pennes l'air et les roseaux éclaboussés d'humides étincelles. Un soleil de mars, las de giboulées, patauge dans cette infusion, dans cette confusion d'herbes. Sa lumière y miroite à peine, se contente de noyer une seconde fois ces bleus, ces verts, ces gris, ces filandreuses demi-teintes, étirées et brassées par les contradictions molles des courants, où se reflète la végétation lointaine des nuages, eux aussi longuement effilochés par le vent.

Cependant, la tête avance toujours, suit des allées liquides, d'étroites sentes tracées entre les bancs de renoncules ou de faux-cresson, traverse une clairière, puis un barrage de phragmites, puis une autre clairière, parvient enfin au Grand-Trou, à cet endroit où le marais trouve à la fois profondeur et limite, où il semble s'alourdir en se purifiant et va figer une nappe de mercure sous le tuf de la colline.

« Mais tu es folle, Reine, de barboter en cette saison ? Tu en crèveras ! »

La voix tombe soudain du haut de la falaise. La nageuse s'anime, se secoue, se renverse. Ses paupières se soulèvent, découvrant deux prunelles glaireuses, de la couleur des algues. Sa bouche ou, plutôt, son bec-de-lièvre esquisse un sourire, en zozotant au pêcheur :

« Les poissons, monsieur le maire, y restent bien tout l'hiver. »

Puis Reine souffle, renifle. Ses mains — de véritables pales — surgissent à la surface, la fendent de puissants moulinets, hissent tout le buste hors de l'eau. Simon Brault peut apercevoir une nuque grasse, une aisselle velue que déborde le sein, une épaule épaisse où s'incrustent la bride du caleçon de bain et celle d'une musette. « Bigre, qu'elle est moche ! » murmure-t-il entre ses dents. Mais déjà Reine se retourne, croupionne frénétiquement comme une canne, coule à pic, poussée au fond par un formidable *coup-de-pied-au-ciel*. Le Grand-Trou bouillonne quelques secondes, puis se calme ; le vieux ne voit plus rien, hormis quelques bulles lâchées par cette masse confuse et blanchâtre qui remue très au-dessous du flotteur rouge, dansant sur place sa petite gigue.

« Qui est-ce ? fait la voix d'une jeune fille, jusqu'alors vautrée parmi les carex de la butte et dont apparaît un instant le visage : un visage étranger, une frimousse badigeonnée à la hâte sous une mise en plis acajou.

— Bon Dieu, sacre le vieux, veux-tu te cacher, Mariette ! Je ne tiens pas à ce qu'elle te repère. »

Il gronde d'autres injures, crache dans une touffe d'arméria et reprend très haut :

« Et cette autre idiote... elle va finir par s'accrocher à mon hameçon... Là ! Je le disais bien... Ça y est ! »

Le flotteur plonge éperdument... Simon se jette sur son moulinet, qui se dévide à toute allure : à son grand étonnement, il peut le bloquer sans difficulté, rembobiner le fil. Cependant, comme le bouchon s'obstine à ne pas regagner la surface, Simon enlève sa ligne d'un coup sec.

« Ça, alors ! »

Une tanche, accrochée par la queue, décrit dans l'air une parabole dorée, vient atterrir à ses pieds. « Ça, alors ! » répète le maire, en considérant sa prise et en reconnaissant l'ouïe violacée du poisson pêché depuis une heure. « La garce ! » grommelle-t-il encore, plus vexé que satisfait, tandis que Reine réparaît enfin, cinquante mètres plus loin et s'éloigne en hâte, talonnant l'écume et offrant aux échos le gargouillant défi de son rire.

« Qui est-ce ? » demande une seconde fois Mariette Brault, invisible.

Simon, dévorant sa moustache, écrase du regard sa petite-fille, prudemment aplatie dans l'herbe, puis relance sa ligne avant de répondre. Au bout de cinq minutes, il consent à grogner :

« Pas une traînée, comme toi... Mais une malheureuse, aussi. C'est la fille d'Anselme, le garde-pêche, qui s'est noyé il y a dix ans. Elle a une chèvre et une bicoque, sur la petite île, au milieu du marais. Elle a aussi un jardin, mais surtout elle vit de l'eau, elle braconne... Aucun gars n'en a jamais voulu. Elle est trop vilaine, elle pue la vase, cette *raine*, et puis... elle est un peu simple. »

Le vent fraîchit, frise l'eau. Sur une *touche* discutable, Simon croit devoir ferrer, perd son esche et ce petit déboire lui fait retrouver sa colère.

« Ce n'est pas tout ça ! Il faudrait, ma fille, nous occuper de toi et causer sérieusement. »

*
* *

« Par la queue... ah ! ah ! Quelle tête il faisait ! » Reine rit encore. Reine déteste le maire, qui à plusieurs reprises a voulu lui interdire de pêcher en temps prohibé, donc de manger. Elle déteste aussi le concurrent, elle méprise son arsenal de gaules, de crins, d'hameçons numérotés, son carrelet et son tramail des grands jours. Reine n'emploie aucun engin, pas même la nasse, ce collet des braconniers d'eau, pas même la *basche* qui se glisse sous les racines. Reine ne pêche qu'à la main, comme seuls savent le faire de très rares initiés, dont la présence n'effarouche pas le poisson et qui vont littéralement le cueillir au gîte, dans les fosses à demi comblées par une charpie de feuilles pourries, dans les trous des berges ou sous ces herbes floues, plus divisées que des branchies et, comme elles, vaguement palpitantes. Poumons bloqués, yeux grands ouverts, Reine glisse dans les profondeurs, là où la lumière n'est plus qu'un gluant clair de lune ; elle palpe, elle caresse le chevesne immobile, avant de le pincer aux ouïes et de

le jeter dans la musette à coulisse qui ne la quitte
jamais.

« Par la queue, ah ! ah ! » répète Reine, qui ne
change pas vite d'idée et dont la joie, comme les
autres sentiments, est aussi lente qu'obstinée. Elle
vient de traverser le marais et atteint cette région
mouvante, ce *no man's land* tour à tour annexé par
les joncs ou par l'eau et qui se relève insensiblement
pour former une île. Evitant les chenaux perfides où
coule une purée noirâtre, elle se redresse, se met à
courir de touffe en touffe, avec une légèreté qui
contredit son énorme silhouette. Toute graisse dehors,
la hanche croulante, le pied si large qu'on le dirait
palmé, le mollet beurré de boue, elle est franchement
répugnante. Certes, en ces solitudes, elle n'a guère à
s'en soucier. Par ailleurs, bien avertie de sa disgrâce
et l'ayant depuis longtemps acceptée, elle partage
l'indifférence des femmes très laides qui se moquent
une fois pour toutes de la critique du désir et
retrouvent ainsi l'aisance des plus belles, qui n'ont
rien à en redouter.

La voici maintenant dans son étroit domaine, dont
les vingt ares sont aux trois quarts dévorés par
l'humide exubérance des peupliers et des têtards de
saules. Menthes et laîches ceinturent le jardin minuscule où Reine n'a pas encore planté les cinquante
pieds de pommes de terre qui, tous les ans, lui
assurent une maigre récolte. Sous un excès de lierre
on devine à peine l'ancien rendez-vous de chasse aux
canards, la cabane de fibrociment où elle habite.
Reine ne rit plus. Elle semble au contraire fort
songeuse. C'est machinalement qu'elle enlève sa
musette et la vide dans le vieux tonneau qui lui sert
de vivier. « Bah ! » bêle sa chèvre qui, non loin de là,
règle son compte à un jeune myosotis. Reine hoche la
tête, la rejoint, la saisit par la barbe et lui confie
brusquement :

« Je l'ai bien vue, la Parisienne. Pourquoi le maire

lui défend-il de se montrer ? C'est sans doute la fille de l'adju... »

« Bah ! bah ! » répète la chèvre. Mais Reine n'est pas de cet avis. De son père le garde champêtre, elle a hérité la curiosité et la méfiance ; elle entend savoir tout ce qui se passe dans le marais, dont elle se considère un peu comme la gardienne, voire la propriétaire. Elle n'a d'ailleurs aucune autre distraction : trois kilomètres d'eau la séparent de tout voisin, sauf du côté de la colline où est juchée la métairie du maire, *La Malbotière*, bâtie très à l'écart du village.

Enfin Reine se décide et, faisant volte-face, se jette dans les roseaux, retraverse les bourbiers, atteint l'eau libre, s'y laisse glisser sans bruit, s'y dissout. Nul ne la verra plus ce soir. Seule, la loutre brune, qui connaît le sens des moindres bulles et du plus mince clapotis, identifierait peut-être cette bête profonde qui nage en torpille, vient une seconde respirer entre deux sagittaires et repart, frôlant à peine ces longs cordeaux gluants qui relient les nénuphars à leurs racines, pour s'immobiliser enfin sous les macres qui bordent le Grand-Trou.

*
* *

Le soir a sorti ses fusains, crayonne à la surface l'image renversée des aulnes. On ne voit plus le crin de Florence, avec qui le vent d'ouest a cessé de jouer. Mais le flotteur rouge brasille encore : on dirait un foret qui n'en finit pas de percer une plaque d'acier poli. L'air a déjà cette fragilité, cette sensibilité nocturne qui porte au loin les confidences. Malgré la prudence de cette voix aux inflexions moites, de cette voix qui cherche à s'étouffer sous la moustache, Reine va tout entendre, tout savoir.

« Bien bon, ton adjudant de père, de t'envoyer ici !... Moi aussi, s'indigne le vieux, j'ai une situation...

Le scandale... Ma mairie... tu t'en fous, putain ! »

A fleur de ciel, là-haut, quelque chose bouge dans l'herbe. Reine ne comprendra pas ce que chuchote la coupable, mais elle sait très bien ce que veulent dire ses reniflements. Une petite main se dresse à contre-jour, comme si elle voulait repousser le nuage violet qui s'effondre derrière la crête, qui va boucher la dernière fissure de lumière.

« Non ! »

Le refus s'abat, définitif. Simon se relève et se dresse, massif et noir, sur l'horizon. Son poing s'agite, martèle les décisions. Mêlés aux lambeaux d'ombre, les lambeaux de phrases déchirés par ses dents se dispersent sur l'étang.

« Bien forcé de t'aider... Voilà... pas qu'on te sache ici... tu ne sortiras plus... Dans cinq mois... se passera à la ferme... j'ai fait vêler assez de bêtes !... Quant au *crapaud*... »

Reine tend l'oreille, mais rien ne vient. La fin de cette phrase ne s'est pas perdue : elle n'a pas été prononcée. Une chauve-souris passe, zigzaguant sur son aile de peau... Oui, vraiment, Reine s'en rend compte pour la première fois de sa vie elle a froid dans l'eau ; elle se sent frôlée par elle ne sait quelle horreur, plus molle, plus répugnante que ces longues couleuvres, gavées de grenouilles, qui ondulent à contre-courant et s'entortillent parfois autour de ses jambes.

« ... On n'en parlera plus : je m'arrangerai ! » conclut enfin le fermier qui ajoute, très haut : « Allons, ouste ! Rentrons. Le serein va tomber. »

Simon se penche, démonte la petite fourche qui calait sa gaule, arrache vivement sa ligne. L'hameçon égratigne l'air comme un ongle griffe la soie. Mais soudain ce bruit infime est submergé : sous la botte de Simon, un caillou vient de se détacher. Pire qu'un aveu, plus décisif qu'une explication, le *floc* troue le silence, l'ombre et l'eau, intimement mélangés. « Non, pas ça ! » crie la fille, qui a bondi sur ses pieds et se penche sur le Grand-Trou. Mais la poigne de Simon s'abat sur son épaule, la pousse vers le sentier qui conduit à la ferme. Bientôt leurs ombres décroissent. Reine ne voit plus que deux bustes, puis deux têtes, puis l'extrémité de la gaule qui oscille un peu, s'efface, disparaît. C'est fini. La nuit s'avance, à pas d'ours, se vautre parmi les roseaux et quand l'aigre petit vent d'équinoxe les fait grelotter, on dirait qu'elle secoue son poil. Transie, écœurée, insensible à l'épine des châtaignes d'eau, Reine s'éloigne, portée par une brasse nerveuse dont l'indignation, par instant, réveille à grands coups de battoir la boueuse langueur du marais : « Le crapaud ! » murmure la solitaire, vierge hideuse et mère impossible. « Le petit crapaud ! » répète-t-elle en se hissant sur la berge de son île, tandis qu'une sorte de sanglot gargouille au fond de sa gorge. Un chat-huant devine sa pensée et, le bec encore plein d'entrailles de taupe, pousse son cri déchirant d'enfant poignardé. « Non, non ! » proteste Reine, qui tombe sur les genoux.

Mais quelle est cette clarté laiteuse, quel est cet espoir dont son angoisse s'illumine faiblement ? Le vent vient d'emporter le nuage qui s'accrochait aux cornes de la lune, tandis qu'en elle naît une idée... « Oui, c'est ça ! » zézaie le bec-de-lièvre. Reine sourit. Tout à l'heure, en s'effondrant sur le tas de joncs desséchés qui lui sert de lit, elle grognera de joie, cette grosse sirène, cette batracienne, que réchauffera jusqu'à l'aurore un surprenant rêve de femme.

*
* *

Cinq mois ont passé. Le soleil s'acharne sur l'eau trouble, cet ambre liquide qui, par endroits, n'est plus qu'une gélose, farcie de filaments verdâtres, où grouillent têtards et sangsues, où se réfugient anguilles et poissons-chats. Un brouillard de moucherons tourbillonne au-dessus de la vase cuite, se mélange aux puantes vapeurs du méthane. Le Grand-Trou lui-même s'est rétréci, disparaît sous les confettis verts de la canetille, jetée à profusion pour une kermesse de libellules.

« Glohh ! »

Une carpe vient de sauter, de happer une tipule. Une onde molle s'élargit, glisse sous les lentilles qui rebouchent lentement le trou. Le long des roseaux, hérissés de hautes *quenouilles* qui semblent filer du fil de la Vierge, une masse d'herbes flottantes — échouées là depuis une quinzaine — se gonfle un instant, puis retombe. Le vol rectiligne d'un martin-pêcheur raie de saphir l'air, immobile comme une vitre.

« Humphhh ! »

Cette fois, c'est une tanche, venue respirer à la surface. Une heure s'émiette. Plus précis qu'une horloge, le martin-pêcheur repasse, un vairon en travers du bec. Une autre heure mijotera sous la canicule avant qu'il ne réapparaisse. Puis une autre, puis encore une autre, toutes interminables, nauséabondes, à peine troublées par ces minces remous, ces affleurements de nageoires, ces onomatopées sourdes et cette étrange curiosité qui soulève régulièrement le banc d'herbes... Il ne se passera donc rien ! Voilà des jours que *cela* dure, voilà des jours que rôde cette menace, plus imprécise, plus patiente que la colère des cumulus noirs écroulés sur l'horizon. Le temps, l'été, l'étang sont-ils d'accord pour endormir cette vigilance, pour la dissoudre dans la torpeur générale ?

Non... enfin non ! Deux râles s'envolent soudain d'entre les salicaires qui bordent la petite falaise ; une poule d'eau glousse l'alerte. Presque aussitôt se précise, s'amplifie le bruit de pas que ces craintifs ont décelé les premiers. Le banc d'herbes se soulève et, cette fois, ne retombe plus : Simon vient d'apparaître au sommet de la butte.

Simon Brault, c'est bien lui, mais ce n'est pas le maire, le puissant fermier dont les jurons sonnent haut dans les étables. Ce Simon-là est tassé, furtif et sa manche gauche essuie sur son front une sueur qui doit être froide. Ce Simon-là est celui qu'attendaient les effarvattes, les grenouilles et le brochet légendaire, le brochet de douze livres qui hante le Grand-Trou. Qui, sauf des hommes, serait dupe de cette canne à pêche démontable, jetée en bandoulière sur son épaule et dont flambent les embouts de laiton ? Beau prétexte pour d'improbables passants ! Le sac, le sac... Simon, vide ton sac !

Mais Simon, accroupi maintenant et dispersant de tous côtés l'inquiétude de ses prunelles bleuâtres, Simon grelotte en déliant les cordons. N'a-t-il pas, aussi, le cœur sensible ? Jamais il n'a pu pratiquer lui-même la saignée annuelle du cochon, ni arracher l'œil du lapin dominical. C'est à peine s'il a eu le courage... Ah ! il aurait peut-être mieux valu serrer un peu, procéder comme avec les chatons que l'on assomme avant de les noyer... Hum ! L'eau s'en chargera, l'eau fera le geste définitif, le geste purificateur. Allons ! Le marais est désert, il n'y a rien à craindre. Rien à craindre non plus de... de... enfin, de ce qui pourrait flotter. Le Grand-Trou se déverse sous la colline par une rivière souterraine et jamais rien n'en remonte, chacun le sait. D'ailleurs, si par hasard un petit cadavre ballonné venait s'offrir aux mouches, qui oserait accuser le maître de *La Malbotière ?* Qui a vu le ventre clandestin de la citadine ? Au nom de l'écharpe et du képi, de la république et de l'armée, au nom de quarante hectares de terres saines, de cent vaches de pure race... Allons ! Simon pince les lèvres et retourne le sac.

Floc !

« Merci ! »

Simon, pétrifié, n'en croit ni ses yeux ni ses oreilles. « Merci ! », quelqu'un a bien crié « Merci ! »

Une masse énorme, invisible sous le banc d'herbes, a brusquement plongé, creusé un véritable entonnoir. Elle se fraie dans les profondeurs un si foudroyant passage que toute la surface du Grand-Trou s'en émeut. La mosaïque de lentilles se disloque ; de toutes parts ricochent des grenouilles affolées, tandis que de courtes vagues ébranlent les plus lointains roseaux. Puis, trois secondes plus tard, dans un furieux jaillissement, surgissent deux têtes inégales, coiffées d'algues et serrées l'une contre l'autre : deux têtes vivantes, immensément trouées par deux bouches qui suffoquent, recrachent l'eau tiède, aspirent l'air et la vie.

« La Raine ! »
Simon se redresse et s'enfuit.

*
* *

Reine, encore une fois, a traversé le marais, battant tous ses records, fracassant tout sur son passage. Déjà, elle prend pied sur la rive, où l'or de l'iris flambe et la pourpre de la sauge accueillent son parfait dénuement. Plus hideuse que jamais, ruisselante, hilare, l'enfant nu enfoui entre ses seins, elle court à sa cabane. « Voilà ! » crie-t-elle à sa chèvre qui, par bonheur, traîne un pis distendu. Volubile et postillonnant sa joie, Reine s'explique en frictionnant rudement le petit corps violet, qui commence à se débattre. « J'irai le déclarer demain. A la mairie, mais oui ! Et au curé... Rien dans la loi n'empêche une pauvre fille comme moi de fauter avec un trimardeur, d'accoucher sur son tas de joncs. Le maire s'arrangera. Trop contents, le Simon et sa Mariette, d'échapper aux bicornes, d'être débarrassés du crapaud ! Mais comment va-t-on l'appeler ? »

Reine fronce les sourcils, secoue sa tignasse qui se sépare en mèches visqueuses. De sa lointaine enfance, elle ne garde plus que de très vagues souve-

nirs d'histoire sainte. Enfin le nom remonte à ses
lèvres fendues et le bec-de-lièvre se tend pour un
baiser... Reine se souvient, Reine exulte. Songeant à
la fois à l'enfant légendaire et à ces poissons nou-
veau-nés qui frétillent dans leurs langes d'écume, elle
zézaie, elle balbutie :

« *Moïse*... ma truitelle ! »

Déjà l'enfant miraculé s'endort dans la manne
d'osier, remplie de ce faux coton que perdent les
peupliers. Reine allonge le bras, saisit sa chèvre à
plein poil et commence à la traire. Dehors, le vent
s'est levé, torchonne le miroir sale des étangs, bous-
cule les saules, jette les nuages à l'assaut du soleil.
Les premières gouttes de l'orage commencent à tomber et font naître à la surface des centaines d'auréo-
les, comme si elles voulaient célébrer la sainteté de
l'eau, mère éternelle.

TABLE

IMPRIMÉ EN FRANCE PAR BRODARD ET TAUPIN
6, place d'Alleray - Paris.
Usine de La Flèche, le 10-03-1972.
6537-5 - Dépôt légal n° 1431, 1er trimestre 1972.
LE LIVRE DE POCHE - 22, avenue Pierre 1er de Serbie - Paris.
30 - 11 - 3293 - 01